JAHRBUCH

ADALBERT-STIFTER-INSTITUT DES LANDES OBERÖSTERREICH

BAND 14/2007

Stifter und Böhmen
Symposion.
Prag, 31.10. bis 1.11.2005

Herausgegeben von
MILAN TVRDÍK und WOLFGANG WIESMÜLLER

Ein Stifter-Christkindl
für Sieglinde
herzlich
von
Wolfgang

15.12.07

INHALT

EDITORIAL

Aus Anlass des 200. Geburtstags von Adalbert Stifter hat von 31. 10. bis 1. 11. 2005 in Prag ein Symposion zum Thema „Stifter und Böhmen" stattgefunden, das von den Germanistik-Instituten der Karlsuniversität Prag und der Leopold-Franzens-Universität Innsbruck sowie vom Österreichischen Kulturforum Prag veranstaltet wurde. Die Aktion „Österreich – Tschechische Republik" hat dieses Symposion als Projekt gefördert, wofür ihr hier nochmals ausdrücklich gedankt sei.
Als Koordinatoren des Projekts legen wir hier die Beiträge des Symposiums vor, die aus verschiedenen, auch interdisziplinären Perspektiven die vielfältigen Beziehungen Stifters zu Böhmen beleuchten: von den biographischen und topographischen über die geistig-ideellen und künstlerischen Verbindungen bis hin zur Rezeption Stifters aus tschechischer Sicht.
Auf den geplanten Beitrag von Hartmut Binder über „Stifters Rezeption bei Franz Kafka" mussten wir leider verzichten. Dafür bereichert ein thematisch einschlägiger Aufsatz von Alfred Doppler über Stifter und Bernard Bolzano diesen Band.
Um die Bilateralität des Symposiums wie seines Themas zu unterstreichen, sind dem Band Kurzfassungen der Beiträge in tschechischer Sprache angefügt. Die Kurzfassungen der deutschsprachigen Verfasser sowie das Vorwort hat dankenswerter Weise Václav Maidl ins Tschechische übersetzt.
Wir danken der Beiträgerin und den Beiträgern für die Mitarbeit, dem Österreichischen Kulturforum Prag für die Unterstützung, den Inhabern der Rechte für die Erlaubnis der Abbildungen und dem Adalbert-Stifter-Institut des Landes Oberösterreich für die Publikation.
Möge dieser Band ein weiterer Baustein für einen Brückenschlag im Sinne Adalbert Stifters sein.

Milan Tvrdík, Prag / Wolfgang Wiesmüller, Innsbruck

PŘEDMLUVA

U příležitosti 200. výročí narození Adalberta Stiftera se konalo v Praze ve dnech 31. 10. – 1. 11. 2005 sympozium na téma Stifter a Čechy, které uspořádaly ústavy germanistiky pražské Karlovy univerzity a innsbrucké Univerzity Leopolda Franzena, jakož i Rakouské kulturní fórum v Praze. Organizace Aktion Česká republika – Rakousko podpořila toto sympozium jako jeden ze svých projektů, za což jí budiž na tomto místě ještě jednou vysloven náš dík. Jako koordinátoři projektu zde nyní předkládáme příspěvky přednesené na sympoziu, jež z různých, též i interdisciplinárních pohledů osvtětlují Stifterovy mnohotvárné vazby k Čechám: od souvislostí biografických a topografických přes spojitosti duchovně-myšlenkové a umělecké až po Stifterovu recepci z českého pohledu.
Na plánovaný příspěvek Hartmuta Bindera o Stifterově recepci u Franze Kafky jsme museli bohužel rezignovat. Zato tento sborník obohacuje tematicky sem zcela náležející článek Alfreda Dopplera o Stifterovi a Bernardu Bolzanovi.
Aby byla podtržena bilaterálnost sympozia, jakož i jeho tématu, jsou ke sborníku připojena krátká shrnutí přísptěvků v českém jazyce. Ntěmeckojazyčná shrnutí, stejně jako Předmluvu přeložil do českého jazyka Václav Maidl, za to mu patří náš dík.
Děkujeme autorce a autorům příspěvků za jejich spolupráci, Rakouskému kulturnímu fóru v Praze za podporu, majitelům práv za povolení k uveřejnění obrazů a Institutu Adalberta Stiftera země Horní Rakousy za publikaci.
Necht' se tento svazek stane dalším kamenem při stavbě duchovních mostů ve smyslu Adalberta Stiftera.

Milan Tvrdík, Prag / Wolfgang Wiesmüller, Innsbruck

DIE PRAG-REICHENBERGER STIFTER-AUSGABE UND DIE NEUE HISTORISCH-KRITISCHE STIFTER-AUSGABE[1]
Ein Vergleich anhand der *Witiko*-Bände

WOLFGANG WIESMÜLLER

Am 28. Mai 1865 hat Stifter dem Gemeinderat der Stadt Prag ein Widmungsexemplar vom ersten Band des *Witiko* übersandt und im Begleitschreiben dazu bemerkt:

„In Böhmen in dem Marktfleken Oberplan im Budweiser Kreise geboren habe ich der Geschichte dieses Landes von meiner frühesten Lebenszeit an eine große Aufmerksamkeit gewidmet, und habe es endlich, von dem tiefen und bedeutungsvollen Inhalte dieser Geschichte überwältigt, gewagt, einen kleinen Abschnitt dieser Geschichte [...] in einem Dichtungsversuche erzählend zu gestalten. Meine Anhänglichkeit an das Land hat mir eingegeben, diesen Dichtungsversuch meinen Landsleuten und insbesonders den Bewohnern der Stadt Prag zu widmen." (PRA 24, 219f.)

Mit dieser Äußerung unterstreicht Stifter seinen böhmischen Landespatriotismus, der auch mit ein Grund dafür gewesen sein dürfte, warum er die böhmische Geschichte des 12. Jahrhunderts als Stoff für seinen historischen Roman *Witiko* gewählt hat.[2] Diesem Roman kommt daher im Themenkomplex „Stifter und Böhmen" ein besonderer Stellenwert zu, weshalb er beim folgenden Vergleich der Prag-Reichenberger Stifter-Ausgabe (PRA) mit der neuen historisch-kritischen Stifter-Ausgabe (HKG) im Mittelpunkt stehen soll, wobei Böhmen sozusagen das Leitmotiv dieses Vergleichs abgeben wird. Es sei gleich vorausgeschickt, dass es dabei nicht um eine Qualifizierung zweier konkurrierender Ausgaben geht. Denn zwischen PRA und HKG besteht kein Konkurrenzverhältnis, sondern vielmehr das Verhältnis einer editionsgeschichtlichen Entwicklung, in der die beiden Ausgaben zu positionieren und zu bewerten sind. Die PRA hat jedenfalls zur Kanonisierung Stifters, der nach seinem Tod rasch in Vergessenheit geriet, wesentlich beigetragen, wenngleich mit der Betonung des deutsch-böhmischen Dichters, und sie hat wichtige Voraussetzungen für die HKG geschaffen. Die Prager Germanistik um August Sauer hat mit ihrer editorischen Pionierleistung die Grundlagen für die weitere Stifterforschung gelegt und Materialien und Spuren gesichert[3], auf denen die neue historisch-kritische Stifter-Ausgabe aufbauen konnte und kann – das wird sich vor allem bei der nächsten Abteilung der HKG zeigen, bei den Briefen Stifters, die Gustav Wilhelm in der PRA bereits ausführlich kommentiert hat. Andererseits haben sich mit der neuen Überlieferungslage und der Weiterentwicklung literatur- und editionswissenschaftlicher Erkenntnisse auch die Anforderungen und Herausforderungen an eine Stifter-Ausgabe verändert. Zum einen gab es, als 1968 beim Stifter-Symposium in Bad-Hall „der Beschluß, eine neue historisch-kritische Ausgabe der Werke und Briefe Adalbert Stifters vorzubereiten", gefasst wurde, mit den „von der Bayerischen Staatsbibliothek und dem Adalbert-Stifter-Institut des Landes Oberösterreich 1964 erworbenen Handschriften zu den ‚Studien', den ‚Bunten Steinen' und zum ‚Nachsommer'" sowie mit den „im Prager Stifter-Archiv liegenden Handschriften zur ‚Mappe meines Urgroßvaters'" und den „umfangreichen ‚Witiko'-Konvoluten aus dem Besitz der Martin-Bodmer-Stiftung in Genf [...] eine Fülle bisher unbekannten Materials, das editorisch erschlossen werden mußte".[4] Zum anderen ergab sich aus einer veränderten literaturwissenschaftlichen Bewertung der von Max Stefl als „Urfassungen" bezeichneten Erstfassungen der Erzählungen Stifters eine neue Konzeption der HKG. Sie gliedert die Edition der *Studien* und der *Bunten Steine* in „Journalfassungen" und „Buchfassungen". Im Unterschied zur PRA, die sie in Lesarten auflöst, werden die „Journalfassungen" in der HKG zur Gänze wiedergegeben, womit sie „die Eigenständigkeit und den Eigenwert der Erstfassungen unterstreicht" und die Vorstellung von einer „lineare[n] und organische[n] Entwicklung des Erzählers

Stifter" korrigiert, da sie „der Werkchronologie nicht entspricht". Denn „zur selben Zeit, als er ‚Journalfasssungen' zu ‚Buchfassungen' umgearbeitet hat", hat Stifter „auch weiterhin Erzählungen für Journale geschrieben."[5]

Der Vergleich von PRA und HKG soll hier an Hand der *Witiko*-Bände erfolgen, wobei die Aspekte der Textkonstitution und der Textgenese ausgespart werden können, da sie inzwischen von Jens Stüben ausführlich dargelegt wurden.[6] Es werden daher die kommentierenden Teile der beiden Ausgaben Gegenstand der Betrachtung sein. Ein Blick in das Inhaltsverzeichnis der „Einleitung" zum 9. Band der PRA (*Witiko*, 1. Band) von Franz Hüller[7] und des Apparat- und Kommentarbands der HKG (HKG 5,4)[8] zeigt zunächst, dass die Gliederung der „Einleitung" von Hüller einen Grundriss abgibt, der von der HKG übernommen und ausgebaut wird. Der Beobachtungs- und Beurteilungsstandpunkt der Herausgeber hat sich dabei allerdings verschoben. Generell könnte man diese perspektivische Verschiebung folgendermaßen skizzieren: Franz Hüller schreibt aus der respektgebietenden und ehrfurchtsvollen Haltung gegenüber dem Klassiker Stifter, der im Alterswerk bei allem Ringen um die Form doch die Abgeklärtheit und Reife besitzt, ein Werk wie den *Witiko* zu schreiben. Mit der Vorstellung von einer organologischen Entwicklung des Dichters in der Tradition der Goethe-Philologie, wie sie bereits oben im Zusammenhang mit dem Begriff „Urfassungen" angesprochen wurde, heisst es bei Hüller:

„Die Geschichte der Entstehung und des Werdens des bedeutendsten und letzten Werkes Adalbert Stifters ist ein Beispiel von der inneren Notwendigkeit und Gesetzmäßigkeit im Ablauf der Entwicklung eines Künstlers. Der Dichter wurde zu dem großen Epos seiner Heimat getrieben, wie ein Waldbach durch Aufnahme vieler Wässerlein aus der Heimaterde zum Strom anwächst und ins weite, erhabene Meer mündet." (PRA 9, XI)

Wenngleich Hüller die schwierigen Entstehungsbedingungen des *Witiko* kurz streift, werden sie letztlich doch ausgeblendet. Denn „über allem stand" Stifters „hoher, abgeklärter Künstlergeist, der die Erdennebel zerteilte und seinem Werke der strengste Richter war." (PRA 9, X) Und selbst der Krankheit der letzten Lebensjahre Stifters wird eine positive Wirkung auf die Dichtung eingeräumt, da ohne sie „vielleicht [...] nicht diese wundersame abendliche Klarheit über das Werk gebreitet [wäre], die ihm ewige Sicht und Dauer verleiht." (PRA 9, X)

Demgegenüber akzentuiert die HKG die Spannungen und Belastungen, denen Stifter zur Zeit der Entstehung des *Witiko* ausgesetzt war, die sich vom Datum der Festlegung des Titels und des Handlungsgerüsts im Jahre 1855 bis zum Erscheinen des dritten und letzten Bandes im Jahre 1867 doch über zwölf Jahre erstreckt hat. Die HKG entwickelt einerseits einen skeptischen und kritischen Blick hinsichtlich der Selbstaussagen Stifters, insbesondere was seine Kommunikation mit dem Verleger Gustav Heckenast betrifft, die angesichts der Verzögerungen der Manuskriptlieferungen durchaus belastet gewesen ist, aber auch was die Arbeit mit den historischen Quellen betrifft. Andererseits werden die Irritationen, die Stifters Arbeit am *Witiko* begleitet haben – also die „Erdennebel", von denen Hüller spricht – nicht übergangen; sie betreffen sowohl seine persönlichen Lebensbedingungen, als auch die gesellschaftlichen und politischen Entwicklungen seiner Zeit, zu denen er sich seit der Revolution von 1848 in Schriften und Briefen wiederholt kritisch geäußert hat, oft in Verbindung mit Reflexionen über seine Geschichtsauffassung, die auch im *Witiko* ihren Niederschlag gefunden hat. Diese allgemeine Charakterisierung der perspektivischen Unterschiede zwischen PRA und HKG in den überblicksartigen Kommentarteilen sollen im Folgenden exemplarisch konkretisiert werden.

Die Konturen der Entstehungsgeschichte des *Witiko*, wie sie bei Hüller sichtbar werden, sind in der HKG weiter geschärft worden: Zum einen, weil man Einblick in das Gesamtkonvolut der *Witiko*-Handschriften nehmen konnte und von daher den Entstehungsprozess nicht nur auf der

Basis der Selbstaussagen Stifters rekonstruiert hat, sondern auch mit Hilfe des Befunds der handschriftlichen Überlieferung, der manche Aussagen Stifters relativiert. Die HKG konstatiert von Anfang an ein „Tauziehen zwischen Autor und Verleger, das sich während der Niederschrift fortsetzt" und das „nicht mit Stifters mangelnder Selbsteinschätzung allein erklärt werden kann. Vielmehr wird deutlich, daß Stifter den Produktionsprozeß bewußt verschleiert, weil er dem Verleger gegenüber wegen dessen finanzieller Zuwendungen unter Zugzwang steht." (HKG 5,4; 174)
Die Verzögerung des 2. Bandes *Witiko* hat dann auch zu einem „offenen Konflikt zwischen Verleger und Autor" geführt, nachdem Heckenast im Mai 1865 Stifter eindringlich an die „Dimensionen" der Vorschüsse erinnert hat. „Stifter appellierte verzweifelt an das Verständnis Heckenasts für seine Situation, in der aus Krankheitsgründen der Fortgang der Arbeit nur schwer eingeschätzt werden kann" (HKG 5,4; 192f.); so heißt es in seinem Rechtfertigungsschreiben vom 1. Juni 1865 aus Karlsbad: „Ich werde dir Witiko II und III zurecht machen, so bald es sein kann; an II arbeite ich ohnedem, nur ist während der Krankheit durchaus eine Berechnung nicht so möglich, wie für gesunde Zustände" (PRA 20, 306). Die folgende Stelle aus diesem Brief macht besonders deutlich, dass, wie die HKG bilanziert, die „Fertigstellung des *Witiko* [...] Stifter an die Grenzen seiner geistigen und körperlichen Kräfte geführt" (HKG 5,4; 211) hat:

„Ich habe, als die Krankheit kam, in einer Art Verzweiflung, daß ich nun gehemmt bin, nur für dich, nicht aus Rüksicht für die Arbeit selbst, die ich, wenn ich nicht an dich gedacht hätte, während der ganzen Krankheit hätte ruhen lassen, doch fortgearbeitet, habe bis auf Weniges die ganze Mappe gemacht, weil ich damals zu Witiko vollkommen untauglich war, und habe dann Witiko I zurecht gerichtet, und von Witiko II ein ziemliches Stück. Nur ich weiß, daß das, was ich da that, fast über menschliche Kräfte geht, und ich rang es mir ab, weil, wie ich sagte, sonst fast Verzweiflung über mich gekommen wäre. Daß es für meine Krankheit nicht gut war, und die Heilung verzögerte, ist für sich klar [...]." (PRA 20, 306)

Von daher erklärt sich zumindest teilweise die Tatsache, dass Stifter „den 3. Band in der kurzen Zeit vom 7. November 1866 bis zum 4. Mai 1867 niedergeschrieben" hat, „während die vorhergehenden Bände ungleich mehr Zeit in Anspruch genommen haben." Die HKG resümiert, „daß die Beendigung dieses Werkes für Stifter aufgrund der enormen Verschuldung seinem Verleger gegenüber eine Befreiung von psychischen und moralischen Belastungen bedeutet hat. Der in greifbare Nähe gerückte Abschluß des *Witiko* könnte somit für den dritten Band eine Beschleunigung der Arbeit bewirkt haben." (HKG 4,5; 203)
Im Abschnitt „Biographischer und historischer Hintergrund" (HKG 5,4; 208-217) werden im Gegensatz zu Hüllers These von der Abgeklärtheit die Spannungen herausgearbeitet, denen Stifter ausgesetzt gewesen ist. Auf der eine Seite wird „unter dem Eindruck" der „privaten und öffentlichen Verhältnisse", die Stifter als äußerst prekär empfunden hat, „das Dichten immer mehr zum Refugium"; dass er am 29. November 1859 Heckenast „den Beginn der Reinschrift des *Witiko*" mit den folgenden Worten ankündigt, „dürfte kein Zufall sein" (HKG 5,4; 214): „Seit meiner Vereinsamung und seit ich gegen Europas Mächte, welche mit Ausnahme Österreichs das Recht und die oberste Sitte aus Selbstsucht und Feigheit oder wenigstens Schwäche fallen ließen, eine so tiefe Verachtung fühle, sind mir meine Arbeiten Rettung und Trost geworden. Ich flüchte zu ihnen wie zu einer Erhebung [...]." (PRA 19, 188)
Stifter reagiert daher „immer sensibler, ja durchaus neurotisch auf jedwede Störung seiner schriftstellerischen Betätigung", woraus allerdings „ein permanentes Dilemma" resultiert, das er nicht zu lösen vermag: „Die widrigen Umstände, Kümmernisse und Beunruhigungen, vor denen er bei seinen Dichtungen Zuflucht sucht, desavouieren gleichzeitig seine Disposition zum Schreiben" (HKG 5,4; 214). Das gilt auch für die zeitpolitischen Verhältnisse. Auf der einen Seite wird die „krampfhafte Selbstberuhigung Stifters [...] zeitweise von einer Apperzeptionsverwei-

gerung begleitet", spätestens seit dem Italienkrieg von 1859, der deutlich gemacht hat, „in welche Richtung sich das Verhältnis zwischen Österreich und Preußen entwickeln wird und welche Chancen einer großdeutschen Lösung", die Stifter favorisierte, „einzuräumen sind." (HKG 5,4; 215) Vor diesem Szenario eröffnet er Heckenast im Brief vom 17. Dezember 1860, dass er „die gegenwärtige Weltlage" als „Schwäche" empfinde, vor der er „zur Stärke" flüchte und „starke Menschen" dichte (PRA 19, 259). Und Marie von Hrussoczy gegenüber gesteht er, dass ihm „Fantasiegestalten und solche der Geschichte [...] oft lieber sind als die wirklichen" (Brief vom 10. Februar 1861; PRA 19, 269). Auf der anderen Seite lassen ihn, wie viele Briefstellen belegen, die politischen Ereignisse nicht los, insbesondere die Zuspitzung des Verhältnisses zwischen Österreich und Preußen, die 1866 in die Schlacht von Königgrätz mündet, die Stifter völlig zerrüttet hat. An seinen Freund Joseph Türck schreibt er am 29. September 1866:

„Nach der Schlacht bei Königgrätz kam ich so sehr außer meinem Wesen, daß ich vollkommen wieder nervenkrank war, daß ich keine Fassung gewinnen konnte, und daß ich durch das Getriebe in Linz noch mehr aufgeregt, endlich auf meinen Berg Kirschschlag floh, dort 12 Tage keine Zeitung las, und niemanden zu mir von den Ereignissen sprechen ließ. Dadurch gewann ich wieder etwas Ruhe." (PRA 21, 306)

Wie die HKG festhält, beschäftigen „die politischen Ereignisse von 1866 [...] Stifter aber trotzdem weiterhin" und „sind nicht ohne Wirkung auf die Arbeit am *Witiko* geblieben." (HKG 5,4; 216) Sie legen sogar Parallelen zum „historisch-politischen Sujet des *Witiko*" nahe; denn der „3. Band, der erst 1866/67 niedergeschrieben wurde", dreht sich inhaltlich weitgehend um die Einigungsbemühungen des Heiligen Römischen Reichs unter Kaiser Friedrich I. Barbarossa, der als „Idealgestalt" erscheint und dem auch die Titelvignette des Bandes gewidmet ist. (HKG 5,4; 217) Damit sind wir bei einem weiteren Bereich angelangt, an dem die Unterschiede zwischen PRA und HKG gezeigt werden sollen, nämlich bei der Behandlung des historischen Stoffs und der geschichtlichen Quellen im *Witiko*.

Stifter erweckt in den Briefen den Eindruck, sich seit 1848 um einen Stoff für einen historischen Roman umzusehen und dafür auch schon historische Quellenstudien zu betreiben. Diese Suche und die damit verbundenen Recherchen zogen sich bis 1855 hin, in welchem Jahr Stifter, wie bereits erwähnt, den Titel und das Handlungsgerüst des *Witiko* festgelegt hat. Es gibt allerdings keine Spuren dieser Arbeit in Form von Aufzeichnungen Stifters, was bei seiner akribischen Selbstverwaltung doch eher erstaunlich ist. Dass „umfangreiche Sammelhefte entstanden" sein müssen, wie Hüller meint, „die Aufzeichnungen von geschichtlichen Namen, Entwürfe von Szenen, Notizen von Begebenheiten, Episoden und Gedanken und Pläne für den Aufbau der Handlung enthalten haben" (PRA 11, 363), ist jedenfalls nicht erwiesen. Erhalten ist lediglich ein Doppelblatt, das Stifter mit „Notizen zu Witiko" überschrieben und auf dem er ein Exzerpt aus Palackys *Geschichte von Böhmen* (Band 1) angefertigt hat.[9] Wie auch Stifters Reflexionen über die Geschichte zeigen, die wie in der PRA auch in der HKG in einem eigenen Kapitel „Geschichtsauffassung" dargelegt werden, scheint Stifter gewisse Berührungsängste mit der Geschichte gehabt zu haben, weil sie ihn, vor allem auf Grund der Permanenz von Krieg und Gewalt, wie er sie in den Geschichtsquellen vorgefunden hat, verstört haben dürfte. Obwohl 1855 die Entscheidung für den *Witiko* gefallen ist, zeigt Stifter Vermeidungstendenzen, indem er den *Nachsommer* einschiebt (1857). Erst im November 1859 beginnt er, wie von der HKG rekonstruiert, tatsächlich mit der Niederschrift.
Die Vorstellung Hüllers, dass Stifter „mehrere Jahre [...] in uferlose historische Vorarbeiten [versank], die beinahe über ihn zusammenschlugen und die wertvollsten Kräfte des noch gesunden Körpers aufsaugten" (PRA 9, S.X), wird in der HKG relativiert. Die Quellen, die Stifter nachweis-

lich benutzt hat, sind zwar umfangreich, dennoch erweckt er vor allem Heckenast gegenüber einen falschen Eindruck vom Ausmaß seiner Geschichtsstudien, weil er ihm gegenüber das lange Aufschieben des *Witiko* begründen muss. Stifters „Weg zum historischen Stoff", wie es in der PRA heißt, wird daher in der HKG etwas genauer und kritischer unter die Lupe genommen. Dabei wird Stifters Entscheidung für die böhmische Geschichte auch vom (literar)historischen Kontext seiner Zeit her beleuchtet. Wenn Stifter zunächst „an einen vaterländischen Stoff aus der österreichischen Geschichte denkt" – etwa an die „babenbergische Heldenzeit" (PRA 17, 246) oder an den Beginn der habsburgischen Herrschaft in Österreich – dürfte das „neben der Anregung" durch den Linzer Syndikus Anton Ritter von Spaun auch „auf seine Kontakte mit der Wiener Familie Collin zurückzuführen sein. Heinrich und Matthäus von Collin", die auch mit historischen Dichtungen hervorgetreten sind, standen „‚in Verbindung mit dem vaterländisch-historischen Zirkel um den Tiroler Josef Freiherrn v. Hormayr [...], der dem jungen österreichischen Kaiserstaat die geschichtliche-wissenschaftliche Unterlage für eine patriotische Gesinnung zu schaffen suchte' (Enzinger, Aufsätze, S. 220)." (HKG 5,4; 221) In dieses Fahrwasser will sich Stifter aber schließlich doch nicht begeben und richtet daher sehr bald den Blick auf die böhmische Geschichte. Die HKG gibt dafür folgende Gründe an:

„Einmal dürfte ihn die wiederholte literarische Bearbeitung der Gestalt Rudolfs von Habsburg dazu veranlaßt haben, denn er legt Wert darauf, mit einem relativ unbekannten Stoff und womöglich als dessen erster Bearbeiter aufzutreten. Dazu kommt eine durch seine Herkunft aus Südböhmen bedingte emotionale Beziehung zur Geschichte dieses Landes, die während der Arbeit am *Witiko* in Faszination übergeht: ‚Wenn das Buch gelingt, wird es Böhmen wohl freuen; denn Böhmen hat eine der größten und merkwürdigsten europäischen Geschichten.' (an Heckenast, 18. November 1864; PRA 20, 230)." (HKG 5,4; 222)

Diese „vorbehaltlose Begeisterung für die böhmische Geschichte" war, wie die HKG bemerkt, in den genannten vaterländischen Kreisen nicht üblich und zur Zeit der Entstehung des *Witiko* politisch keineswegs opportun. Als Beispiel wird Caroline Pichler angeführt, deren Salon auch Stifter besucht hat; in ihren *Denkwürdigkeiten aus meinem Leben* äußert sie sich zur Stoffsuche für ihren historischen Roman *Die Schweden vor Prag* (1827) dahingehend, dass die Geschichte Böhmens zwar „sehr reich an bedeutenden Zügen und eigentümlicher Nationalentfaltung" sei, aber „häufig, ja meistens sehr widerhaariger Art [...] und fast immer in feindseliger Richtung gegen die deutsche Nation. Es mußte also ein Zeitpunkt ausgefunden werden, der an sich prägnant, für die Nation rühmlich und nicht in gerader Opposition mit dem deutschen oder österreichischen Interesse war [...]."[10]
Hüllers Auflistung der von Stifter verwendeten historischen Quellen, bei der er sich schon auf Karl Flöring[11] stützen konnte, ist mit wenigen Ausnahmen aus dem Bereich der regionalgeschichtlichen Quellen bereits vollständig. Unter diesen Geschichtswerken ist Franz Palackys *Geschichte von Böhmen*, 1. Band: *Die Urgeschichte und die Zeit der Herzoge in Böhmen bis zum Jahre 1197* (Prag 1836) für Stifter die wichtigste Quelle gewesen. Sie wird in der HKG wie folgt charakterisiert: „Stifter bedient sich eines Geschichtswerks, das nicht nur den Grundstein zur tschechischen Nationalhistoriographie gelegt, sondern auch den tschechischen Nationalismus gefördert hat, wenngleich im Sinne des Austroslawismus und damit Stifter nahestehend." (HKG 5,4; 227f.)[12] Palackys Geschichtswerk bleibt „für den Fortgang der Handlung" bis zur Mitte des 3. Bandes des *Witiko* bestimmend und liefert somit „auf der Handlungsebene [...] den Leitfaden für die poetische Ausgestaltung" (HKG 5,4; 228f.). Daneben gewinnt Stifter über Palacky auch „Einblick in den kulturhistorischen Bereich (z.B. staatsrechtliche Verhältnisse Böhmens zum deutschen Reich, böhmische Kriegsordnung, Trachten und Bräuche der alten Böhmen) und kann aus dem Personenregister eine Reihe von Namen schöpfen." (HKG 5,4; 228) Stifter lässt sich aber

auch von bestimmten Urteilen des Historikers Palacky anregen, beispielsweise von seiner Einschätzung, „der Kampf um den [böhmischen] Herzogstuhl sein ein Kampf zwischen Recht und Macht gewesen", weiters von seiner „Charakterisierung der Kontrahenten Načerat und Wladislaw" und insbesondere von seiner positiven Bewertung der „Regierungszeit Wladislaws II" mit den „rühmenden und eine Idealisierung provozierenden Worten: ,Und in der Tat, wäre ein minder tüchtigerer Herrscher jetzt zur Regierung gelangt, und hätte Wladislaw II. nicht 33 Jahre lang das Heft in der Hand gehalten: die Einheit und Macht des böhmischen Staates wäre, bei den vielen Elementen innerer Auflösung, die immer deutlicher sich hervordrängten, noch im Laufe des 12. Jahrhunderts vielleicht unwiederbringlich zu Grunde gegangen' (Palacky I, S. 417f.)." (HKG 5,4; 229f.).

Neben Palacky hebt die HKG im Unterschied zur PRA noch eine weitere Quelle besonders hervor, deren Wert für Stifter nicht unterschätzt werden darf, wie vor allem aus den zahlreichen Einträgen im Stellenkommentar (HKG 5,5)[13] sichtbar wird, nämlich Wenzel W. Tomeks *Geschichte der Stadt Prag*, Band 1 (Prag 1856). Zentral für Stifter ist darin das Kapitel „Ortsbeschreibung Prags im 11. und 12. Jahrhundert". Darüber hinaus verdankt er Tomek „eine Vielzahl an Namen sowie sozial- und wirtschaftsgeschichtliche Aspekte des mittelalterlichen Prag." (HKG 5,4; 228) Was die Verwendung der Quellen betrifft, betont Hüller, wie Stifter selbst, die Treue gegenüber der historischen Wahrheit. „Der Dichter mühte sich ab, daß sein Werk unbedingt den Eindruck historischer Treue und Echtheit hervorrufe. Der ,Geschichtsmann' sollte in einer Zeile erkennen, was für Quellenarbeit in ihr verborgen sei. Die einzelnen Namen und Daten sollten den Stempel geschichtlicher Wahrheit in sich tragen." (PRA 9, S. LXIII) Diese Quellentreue steht, wie Hüller ausführt, im Dienste der Geschichtsauffassung Stifters, die sich im *Witiko* manifestiert, nämlich, mit Stifters Worten, die „Darstellung der objectiven Menschheit als Widerschein göttlichen Waltens" (PRA 9,XVIII). „Mit solch erhabenem, wirklich menschlich großem, dichterischem Fernblick stand Stifter über dem Stoff des Mittelalters." (PRA 9, S. XIX) Die HKG zieht diesen Anspruch Stifters nicht in Zweifel, doch sie beleuchtet sein Verhältnis zu den Quellen auch kritisch. Bei eingehendem Vergleich zwischen Stifters *Witiko* und den Bezugsstellen in den historischen Quellen werden daher in der HKG auch die Abweichungen und Unterschiede hervorgehoben. Generell heißt es dazu: „Wie nun Stifter jene Elemente der Quelle, die seine Geschichtskonstruktion stützen bzw. entwerfen helfen, dankbar aufgreift, so eliminiert oder retuschiert er diejenigen, die sie in Frage stellen." (HKG 5,4; 230) Der Überblickskommentar liefert im Abschnitt „Quellen und ihre Verarbeitung" (HKG 5,4; 226-244) exemplarisch einige Beispiele für Stifters Tendenz zur Beugung der Quellen – etwa seine Umdeutung der „von Wladislaw angeordneten Verheerung der mährischen Gebiete", die von Palacky als „gezielter Einsatz der ,kriegs- und beutelustigen Böhmen' gegen den schwarzen Otto" qualifiziert werden, zur „notwendige[n] Bestrafung der Aufrührer und Rechtsbrecher [...], um das ideale Herrscherbild nicht zu trüben." (HKG 5,4; 230) Ergänzend dazu wird im Stellenkommentar (HKG 5,5) über Gegenläufigkeiten zu den historischen Quellen im Einzelnen Auskunft gegeben.

Nach diesen Darlegungen muss daher das Resümee über Stifters Verhältnis zur Geschichte bzw. zu den historischen Quellen in der PRA und in der HKG unterschiedlich ausfallen. Hüller bilanziert in der PRA:

„Adalbert Stifter ist [...] für sein Epos ,Witiko' zwar tief in das historische Forschungsgebiet eingedrungen, aber er hat sich nicht im Geschichtlichen verloren. Er ließ sich durch all den Wust des Geschehens als Mensch und Ethiker den Blick für die letzten Dinge der Geschichte nicht trüben. Er hat die Weltgeschichte immer als Dichtung des Weltgeistes betrachtet, als die stille sanfte Auswirkung eines ewigen Naturgesetzes." (PRA 9, LXXXIII)

Hier wird nochmals deutlich, dass Hüller die historische Quellentreue im *Witiko* von Stifters geschichtsphilosophischen Postulaten überhöht sieht, die letztlich die entscheidende Perspektive auf die geschichtlichen Fakten abgeben.
Das Fazit der HKG bezweifelt die Orientierung Stifters an den historischen Quellen keineswegs und stellt im Abschnitt „Geschichtsauffassung" (HKG 5,4; 261-271) auch die verschiedenen Facetten seines Geschichtsbildes ausführlich dar. Doch deckt sie die dabei sichtbar werdenden Spannungen nicht zu, sondern wertet sie als Ausdruck von Stifters Auseinandersetzung mit den in seiner Zeit und auch für ihn selbst bereits fragwürdig gewordenen geschichtsmetaphysischen Positionen.[14] Inwieweit Stifters *Witiko* als poetische Veranschaulichung der Wirkungen des „Sittengesetzes" in der Geschichte gelesen werden kann, gehört letztlich in den Bereich der Interpretation, nicht der Kommentierung. Die Ausführungen Hüllers legen allerdings eine solche Interpretation nahe, während die HKG Indizien zu liefern versucht, die deren Brüchigkeit sichtbar machen und eine mehrschichtige und komplexe Betrachtung des Geschichtsbilds im *Witiko* ermöglichen.

Was die Dokumentation und Kommentierung der zeitgenössischen Rezeption des *Witiko* betrifft, waren die Ausführungen der PRA im Kapitel „Mit- und Nachwelt über ‚Witiko'" (PRA 9, LXXXIII-CLXVI) für die HKG insofern anregend, als Hüller die Beurteilung des *Witiko* durch die „gleichgestimmten Freunde" Stifters (PRA 9, LXXXIIIff.) der Verurteilung durch die Literaturkritik seiner Zeit gegenüberstellt. In diesem Sinne enthält das Kapitel „Zeitgenössische Rezeption und Selbstkritik" in der HKG die Abschnitte „Öffentliche Kritik" und „Private Kritik", denen die „Selbstkritik" Stifters angeschlossen wird (HKG 5,4; 273-307). Im Unterschied zur PRA war die HKG für diesen Teil des Kommentars in der glücklichen Lage, auf die umfangreiche Sammlung zeitgenössischer Rezeptionszeugnisse durch Moriz Enzinger[15] zurückgreifen zu können. Die Zeugnisse bei Enzinger, der sich natürlich auch schon auf Hüller gestützt hat, konnten von der HKG nur unwesentlich ergänzt werden, wurden aber im Unterschied zu Enzinger im originalen Wortlaut abgedruckt.
Was den „Böhmen"-Komplex betrifft, finden sich in der zeitgenössischen Kritik zum *Witiko* einige interessante Beispiele, die in der HKG besonders hervorgehoben und kommentiert werden. Am Beispiel des national-liberalen Kritikers Rudolf Gottschall wird gezeigt, wie der politische Kontext nach der Schlacht bei Königgrätz 1866, mit der die Weichen für die kleindeutsche Lösung und damit für die deutsche Reichsgründung gestellt waren, in der Beurteilung von Stifters *Witiko* seinen Niederschlag gefunden hat. So bemerkt Gottschall in seiner Rezension *Adalbert Stifter's letzter Roman* in den *Blättern für literarische Unterhaltung* (25. Juni 1868), in diesem Werk „habe der Stoff keinerlei nationales Interesse: ‚Die böhmischen Wladislaws und Wratislaws, die um die Oberherrschaft kämpfen – was kümmern sie uns, was kümmern sie die Geschichte? Welche nationale Theilnahme knüpft sich an diese czechischen Streitigkeiten [...]?'" (HKG 5,4; 288). Aber auch in Österreich hat man „von einer konservativen Position aus", wie in der *Witiko*-Rezension der *Wiener Allgemeinen Literatur-Zeitung*[16], eine Aversion gegen den böhmischen Stoff an den Tag gelegt, der auch auf einen antitschechischen Affekt schließen lässt, wenn es dort heißt:

„Wir müssen gestehen, daß die historischen Ereignisse, welche dem Buche zu Grunde liegen, soviel wir dem ersten Bande nach schließen können, äußerst kalt lassen. Soweit uns der Verfasser die Kämpfe der böhmischen Großen im zwölften Jahrhundert um die Herzogskrone vorführt, sind sie mehr persönlicher Natur und fassen nicht nur kein welthistorisches Moment, sondern auch kein hervorragend kulturhistorisches in sich, und es ist uns vollkommen gleichgiltig, ob der Herzog Boleslaw oder der etwas minder treffliche Wratislaw sich der [sic!] Coruna ceska auf die Stirne drückt." (Zit. n. HKG 5,4; 277)

Und explizit auf die zeitpolitische Situation bezogen, wird Stifter in der Notiz *Aus dem Wiener Leben* (*Augsburger Allgemeine Zeitung,* 1. Juli 1865) vorgeworfen, er „würde mit seinem *Witiko* den nationalistischen Bestrebungen der Tschechen Vorschub leisten: ‚Mit welchem Stolz müssen die Tschechen auf uns Deutschösterreicher herabblicken! Fängt man nicht an die HH. Rieger und Palazky zu begreifen, wenn man erfährt, daß das parlamentarische Leben Böhmens älter als das Englands ist? Man lernt das aus Adalbert Stifters >Witiko<.'" (HKG 5,4; 276)
Hüllers Kommentare zu diesen nationalistischen Aspekten der zeitgenössischen Rezeption des *Witiko* sind durchaus bemerkenswert, da sie Stifters übernationale Einstellung positiv hervorheben, in einer Zeit, in der sich die nationalen Antagonismen in der Tschechoslowakischen Republik (ČSR) zugespitzt haben.[17] Diese Reaktion auf Stifters *Witiko* ist in seinen Augen

„[...] bereits von den ersten bösartigen Flecken des durch den nationalen Kampf vergifteten politischen Lebens in der Habsburgermonarchie angekränkelt. Die sieht über ihren gedeckten Umkreis natürlich nicht hinweg und empor zu dem Fluge Herderscher Humanitätsgedanken, von denen Stifter im ‚Witiko' seine Menschen, Deutsche und Tschechen, überschattet sein läßt. [...] Für Stifters Weltanschauung war eben das Zusammenleben zweier Nationen kein Problem. Er glaubte, daß auch das Zusammenleben der Tschechen und Deutschen im alten Österreich nur durch sittliche Freiheit gesunden könnte [...]." (PRA 9, S. XCIIf.)

Und auf heute wieder aktuelle Weise – wenn man beispielsweise an Interpretationen des *Witiko* im Lichte des Beitritts der Tschechischen Republik zur Europäischen Union denkt[18] – hat Hüller auch schon das Visionäre dieses Romans gesehen, wenn er meint:

„Die Nationalitätenfrage löste schon damals in Stifter den Gedanken an einen Völkerbund aus; er läßt den weisen Wladislaw in der Versammlung der Großen die bedeutsamen Worte aussprechen: ‚Es sollten alle Reiche unseres Erdtheiles ihre Angelegenheiten gemeinsam schlichten, so würde keins von einem andern besiegt, und keines würde die Beute eines entfernten Feindes.'" (PRA 9, S. XCIII)

Im Rahmen der HKG wurde in einem eigenen Band (HKG 5,5) erstmals ein Stellenkommentar zum *Witiko* erarbeitet. Editionswissenschaftlich mag man dieser Kommentarform skeptisch gegenüber stehen, weil sie, wohl noch stärker als der Überblickskommentar, von den jeweiligen Interessen, Perspektiven und Kenntnissen des Herausgebers abhängig ist. Damit unterliegt der Stellenkommentar auch einem schnelleren Alterungsprozess als edierter Text und Apparat.[19] Um allerdings einer gewissen Beliebigkeit und Zufälligkeit vorzubeugen, haben die Herausgeber bestimmte Kommentarprinzipien entwickelt, die im „Vorwort" zu HKG 5,5 skizziert werden, auch um die Benutzer ins Bild zu setzen, was sie vom Stellenkommentar erwarten dürfen. Die Kommentierung erfolgt demnach unter folgenden Gesichtspunkten:

1. Sacherläuterungen zum historischen Bereich, zur mittelalterlichen Realienkunde und zur Topographie der Schauplätze sowie zur Volkskultur des Böhmenwaldes, die, wie in Stifters Werk insgesamt, auch im *Witiko* eine bedeutende Rolle spielt.

2. Worterklärungen, wobei bedeutungsgeschichtliche, regionale und rhetorisch-stilistische Aspekte besonders berücksichtigt werden.

3. Die Intertextualität zu den historischen Quellen, die detailliert ausgewiesen wird, wobei auch Abweichungen markiert werden.

4. Die literarische Intertextualität, d. h. welche literarischen Kenntnisse oder Lektüren Stifters Eingang in den *Witiko* gefunden haben (z.B. Bezüge zu Homer, zum Nibelungenlied, zur Bibel u.a.m.)

5. Die Auseinandersetzung Stifters mit aktuellen politischen Ereignissen seiner Zeit, die sich im *Witiko* widerspiegeln. Für diese „Kommentierung von Zeitbezügen" werden „vor allem Stifters politische Äußerungen und Stellungnahmen in den Briefen und Schriften herangezogen", wobei „eine Reihe von Berührungspunkten zwischen Stifters Zeitungsartikeln aus den Jahren 1848-1851 und dem *Witiko* nachgewiesen" wird (HKG 5,5; 13).

6. Hinweise zur Textstruktur sowie zum Werkkontext, insofern Stifter im *Witiko* bestimmte Versatzstücke aus seinen anderen Werken in modifizierter Form übernommen hat, vor allem aus jenen Erzählungen, die ebenfalls im Böhmerwald spielen oder die zeitlich parallel zum *Witiko* entstanden sind.

Mit diesem Konzept der Kommentierung hat die HKG eine Fülle von Materialien und Informationen bereit gestellt, die es nicht nur ermöglichen, den *Witiko* im Horizont Stifters und seiner Zeit zu rezipieren, sondern darüber hinaus unterschiedliche Interpretationsansätze zu entwickeln und zu untermauern.

Wenn eine historisch-kritische Ausgabe kein „Sarkophag", sondern ein „Eisbrecher" sein soll, wie Hans Zeller[20] es einmal formuliert hat, so möge der neuen historisch-kritischen Stifter-Ausgabe beschieden sein, was seiner Zeit die Prag-Reichenberger-Ausgabe bewirkt hat, nämlich dass von ihr neue Impulse für die Stifterforschung ausgehen und die neuen Wege, die sie zu Stifters Werken eröffnet, auch begangen werden.

[1] PRA Band, Seite = Adalbert Stifter: *Sämmtliche Werke*, begr. und hrsg. von August Sauer, fortgef. von Franz Hüller, Gustav Wilhelm u. a., 1. Band, Prag 1904 (seit 1927: Reichenberg; seit 1958: Graz) – HKG Band; Seite = Adalbert Stifter: *Werke und Briefe. Historisch-kritische Gesamtausgabe*, hrsg. von Alfred Doppler und Wolfgang Frühwald (ab 2001 Hartmut Laufhütte). Stuttgart u. a. 1978ff.

[2] Vgl. dazu HKG 5,4: *Witiko. Apparat. Kommentar*. Von Alfred Doppler und Wolfgang Wiesmüller. Stuttgart u. a. 1998, S. 219-226 („Stoffwahl").

[3] Vgl. dazu Alois Hofman: *Aufbruch der Stifter-Forschung in Prag. August Sauer und sein Kreis*. In: *Adalbert Stifter. Studien zur Rezeption und Wirkung I: 1868-1938*, hrsg. von Johann Lachinger. Linz 1995 (= *Schriftenreihe des Adalbert-Stifter-Institutes des Landes OÖ* F. 39), S. 79-95. Vgl. weiters den Beitrag von Peter Becher in diesem Band.

[4] Alfred Doppler/Wolfgang Wiesmüller: *Adalbert Stifter: die neue historisch-kritische Ausgabe*. In: *Von der ersten zur letzten Hand. Theorie und Praxis der literarischen Edition*, hrsg. von Bernhard Fetz und Klaus Kastberger. Wien-Bozen 2000, S. 43-49, hier S. 43.

[5] Ebenda, S. 43.

[6] Jens Stüben: *Stifter-Editionen*. In: *Editionen zu deutschsprachigen Autoren als Spiegel der Editionsgeschichte*, hrsg. von Rüdiger Nutt-Kofoth und Bodo Plachta. Tübingen 2005, S. 403-431, bes. S. 409-414 („Textkonstitution") und 415-424 („Darstellung der Textgenese"). Die Ausführungen zur „Kommentierung" (S. 424f.) sind dagegen äußerst knapp gehalten.

[7] Franz Hüller hat 1930 zunächst den 2. Band des *Witiko* als 10. Band der PRA herausgegeben und im selben Jahr im Verlag der Literarischen Adalbert-Stifter-Gesellschaft in Eger seine Studie *Adalbert Stifters „Witiko"* veröffentlicht, die, wie er im „Vorwort" schreibt, „aus meiner Beschäftigung mit der Herausgabe von Adalbert

Stifters Roman ‚Witiko' in der Prager kritischen Gesamtausgabe hervorgegangen" ist. 1932 folgte der 1. Band des *Witiko* als 9. Band der PRA mit einer ausführlichen „Einleitung" und der 3. Band des Witiko als 11. Band der PRA mit einem „Textkritischen Bericht" (PRA 11, 359-406), der auch den Text der neun Handschriftenblätter, die Hüller damals bekannt gewesen sind, enthält.

8 Vgl. Anm. 2.

9 Vgl. dazu HKG 5,4, 23f. (zu H 239).

10 Caroline Pichler: *Denkwürdigkeiten aus meinem Leben*. 2. Band. München 1914, S. 217.

11 Karl Flöring: *Die historischen Elemente in Adalbert Stifters „Witiko"*. Gießen 1922 (= *Gießener Beiträge zur Deutschen Philologie* Bd. V).

12 Zu František Palacký und Adalbert Stifter vgl. den Beitrag von Jiří Kořalka in diesem Band. Vgl. dazu weiters Friedrich Prinz: *Adalbert Stifter und František Palacký – Historiograph der böhmischen Stände*. In: *Jahrbuch des Adalbert-Stifter-Institutes* Bd. 7/8 (2000/2001), S. 29-38. Prinz stellt fest, dass „sich der Böhmen eng verbundene große österreichische Dichter und der junge böhmische Ständehistoriograph der Zeit vor 1848 geistig viel näher [waren], als dies später der Fall sein konnte, als Palacký unter dem Eindruck der Revolution von 1848 entschiedener tschechischer Nationalpolitiker und damit geistiger Antipode Stifters wurde." Und er konzediert Stifter, dass sein „hochartifizieller, idealtypischer Bohemismus nicht im klar umgrenzten Bohemismus der böhmischen Stände und des jungen Palacký verblieb, sondern modellhaft europäische Züge trägt." (S. 35).

13 HKG 5,5: *Witiko. Stellenkommentar*. Von Alfred Doppler und Wolfgang Wiesmüller. Stuttgart u. a. 2001.

14 Vgl. dazu Wolfgang Wiesmüller: *Zur Krise geschichtsphilosophischer Positionen der Aufklärung bei Adalbert Stifter*. Erscheint in: *Nachklänge der Aufklärung im 19. und 20. Jahrhundert*, hrsg. von Klaus Müller-Salget. Innsbruck 2007 (= *Innsbrucker Beiträge zur Kulturwissenschaft, Germanistische Reihe* Bd. 73).

15 Vgl. Moriz Enzinger: *Adalbert Stifter im Urteil seiner Zeit. Festgabe zum 28. Jänner 1968*. Wien 1968.

16 Vgl. *Allgemeine Literatur-Zeitung, zunächst für das katholische Deutschland*, Jg. 13 (1866), Nr. 2, S. 15f.. Diese Zeitung ist von 1854 bis 1861 unter dem Titel *Katholische Literatur-Zeitung* erschienen.

17 Václav Maidl hat darauf hingewiesen, dass der tschechische Literaturhistoriker Pavel Eisner 1930, also zeitgleich mit Hüller, „Stifters historische Bedeutung als letzten Schriftsteller des Bohemismus gewürdigt" hat und 1933 in einem „Porträt Stifters [...] insbesondere den Roman ‚Witiko' hervorhebt" (*Stifters Rezeption in den böhmischen Ländern*. In: *Adalbert Stifter. Dichter und Maler, Denkmalpfleger und Schulmann. Neue Zugänge zu seinem Werk*, hrsg. von Hartmut Laufhütte und Karl Möseneder. Tübingen 1996, S. 527-537, hier S. 536f.). Peter Becher bemerkt dazu: „So wenig Stifter in seiner Zeit eine Chance hatte, die zentrifugalen Kräfte aufzuhalten, so wenig vermochte dies Eisner in den dreißiger Jahren des 20. Jahrhunderts. Seine Stifter-Rezeption ist ein Versuch geblieben, den nur wenige Tschechen teilten." (*Adalbert Stifters „Witiko" – Ein Wirkungsdefizit als Ausdruck gescheiterter Integration?* In: *Prozesse kultureller Integration und Desintegration. Deutsche, Tschechen, Böhmen im 19. Jahrhundert* , hrsg. von Steffen Höhne und Andreas Ohme. München 2005 [= *Veröffentlichungen des Collegium Carolinum* Bd. 103], S. 219-230, hier S.224).

18 So meint z. B. Peter Becher angesichts der veränderten Rezeptionsbedingungen für Stifter „über Länder- und Sprachgrenzen hinweg", wie sie im „Zuge der Feier des 200. Geburtstags im Jahr 2005" sichtbar geworden sind, dass „sich Witiko auch als prophetischer Roman lesen" lasse, „der im Gewand historischer Kostümierung eine Wunschvorstellung Stifters manifestiert, die 150 Jahre nach der Niederschrift im Kontext einer neuen übernationalen Staatengemeinschaft Realität zu werden verspricht." (Becher, Anm. 17, S. 228). Vgl. ähnlich auch bei Jiří Gruša: *Der tschechische Stifter (oder: der Stifter der Tschechen)*. In: *Die Rampe. Hefte für Literatur* 2005, H. 2 (*StifterReden*), S. 26-31. Für Gruša ist Stifter ein „Poeta Europaeus", der mit dem *Witiko* die aktuellen politischen Entwicklungen präludiert habe (S. 31).

19 Vgl. dazu Elisabeth Höpker-Herberg und Hans Zeller: *Der Kommentar, ein integraler Bestandteil der historisch-kritischen Ausgabe?* In: *editio. Internationales Jahrbuch für Editionswissenschaft* 7 (1993), S. 51-61.

20 Vgl. Hans Zeller: *Historisch-kritische Ausgabe – Eisbrecher oder Sarkophag?* In: *Jahrbuch der deutschen Schillergesellschaft* 34 (1990), S. 424-428.

DAS „MARGARITA"-KAPITEL IN DEN VERSCHIEDENEN FASSUNGEN DER *MAPPE MEINES URGROSSVATERS*

JOHANNES JOHN

Kein anderer Text Adalbert Stifters scheint so geeignet, in dieser Stadt, an diesem Ort – und zumal auch unter der Thematik dieser Tagung[1] – zum Mittelpunkt eines Vortrags zu werden, wie seine Erzählung *Die Mappe meines Urgroßvaters*: wichtige Kapitel, fast überflüssig dies zu erwähnen, spielen hier in Prag, noch dazu im studentischen Milieu, bevor sich die Handlung dann „von Prag in der Richtung gegen Mitternacht"[2] südwärts nach Pirling, genauer: dem „Thal ob Pirling" verlagert, welches nun zwar kein vergleichbar ‚realer' Ort ist wie die Metropole an der Moldau, den die Forschung dennoch als die Gegend um Friedberg, dem heutigen Frymburk, identifiziert und lokalisiert hat.[3] Und nicht zuletzt sei daran erinnert, daß in Prag, wo sich die Handschriften der beiden letzten *Mappen* – ein editionsphilologischer Terminus, der der Erläuterung bedarf – im Stifter-Archiv der Staatsbibliothek Klementinum befinden, Alois Hofmann 1988 eine ebenso voluminöse wie verdienstvolle Faksimileausgabe der 3. Fassung samt deren Transkriptionen vorgelegt hat – was ebenfalls gleich näher zu erläutern ist.[4]

Stifters *Mappe meines Urgroßvaters* als seinen *Wilhelm Meister* zu bezeichnen, was hiermit geschah, ist ebenso zutreffend wie gefährlich. Denn so wie Goethe neben dem *Faust* die Bildungs- und Entwicklungsgeschichte des Bürgersohns Wilhelm über die Stationen der *Theatralischen Sendung*, sodann die *Lehrjahre* bis hin zu den beiden Fassungen der späten *Wanderjahre*, hat auch Stifter der Stoff seiner *Mappe* zeit seines Lebens beschäftigt und immer wieder zu dichterischer Gestaltung herausgefordert. 1841/42 erscheint die so genannte Journalfassung[5] in mehreren Fortsetzungen und mit beträchtlichen Zeitabständen in der *Wiener Zeitschrift*; für die Veröffentlichung in den *Studien*[6] hat Stifter diesen Text, worüber Ulrich Dittmann in seinem Kommentar detailliert informiert, dann so umfänglich umge- und neubearbeitet, daß er dort erst 1847 im 3. Band publiziert werden konnte. In den letzten Jahren seines Lebens, nämlich 1864 – während sein Verleger Gustav Heckenast eigentlich auf den Abschluß des *Witiko* hoffte und wartete – beginnt Stifter mit der Niederschrift einer dritten Fassung, die unabgeschlossen liegen bleibt, bis er sich 1867 dieses Manuskript erneut vornimmt und in einer Weise revidiert und korrigiert, daß man von einer selbständigen 4. Fassung sprechen muß; auch diese wird nicht vollendet, wobei der vielzitierte handschriftliche Zusatz Johann Aprents auf der 164. und letzten Seite dieser Handschrift – „Hier ist der Dichter gestorben" – nicht unwesentlich „zur Auratisierung der ‚Letzten Mappe'"[7] wie ihres Autors beigetragen haben.

Der Vergleich zwischen dem *Wilhelm Meister* und der *Mappe*, der sich damit natürlich nolens volens auch in den Kontext der Verbindungslinien zwischen Goethe und Stifter ansiedelt, welche die Forschung bekanntlich immer wieder und unter den unterschiedlichsten Perspektiven gezogen hat, scheint deshalb gewagt, wenn nicht gar riskant, weil damit lange Zeit signifikante, uns heute so nicht mehr haltbar scheinende Gewichtungen vorgenommen wurden, von denen am nachdrücklichsten das Vorwort zur *Prag-Reichenberger Ausgabe* Zeugnis ablegt. Dort, im 12., der sogenannten *letzten Mappe* gewidmeten Band schrieb nämlich dessen Herausgeber Franz Hüller im Jahr 1939: „Die Studien-Fassung war nur eine Zwischenstufe in der Veredelung der Dichtung zur großen, geschlossenen epischen Dichtung. Unter diesen großen Gesichtspunkt fallen alle Veränderungen, die mit dem Mappe-Stoff vorgenommen wurden."[8] Geschlossenheit, Steigerung und Veredelung – wozu für Hüller im übrigen auch die soziale Aufwertung des Doktors hinsichtlich seiner Herkunft zählt: dies alles ist biographisch wie werkspezifisch überdeutlich am Modell und Muster Goethe orientiert, und hier unter editionsphilologischen Gesichtspunkten am Vorbild der (Weimarer) Ausgabe letzter Hand, welche den letztgültigen Willen des Autors repräsentiert

und alle vorangegangenen Stadien und Phasen zu bloßen Etappen und Vorformen degradiert. Als letzte *Mappe* wird dann auch konsequenterweise die 4. Fassung rekonstruiert und abgedruckt.
Nicht nur, daß die Editionswissenschaft der letzten Jahrzehnte hier mittlerweile grundsätzlich anders denkt, und ihr Hauptaugenmerk nicht mehr auf die Wahl zwischen einer editio princeps oder einer letzter Hand legt, sondern vielmehr an der Dynamik des Schaffensprozesses, also der Genese des Textes in seinen Aus- und Umformungen interessiert ist und diese zu rekonstruieren sucht: auch scheint es doch zumindest verwunderlich, einen Text derartig zu mythisieren, den Stifter in zwei Anläufen gar nicht zum Abschluß brachte – wenngleich damit ein Fragment natürlich nicht per se als Dokument minderen literarischen Ranges abqualifiziert werden soll. Immerhin aber haben Martin und Erika Swales mit guten Gründen auf die narrativen Bruchstellen der letzten Fassung – „waiting for fulfilment" – hingewiesen: „It remains curiously sketchy – and this is not just because it is incomplete; it has an internal fragmentariness and discontinuity".[9] Daß ferner die Utopie des ‚fertigen' Textes nicht nur von Stifters Schreibpraxis ständig unterlaufen und durchkreuzt wurde, ja daß er das Ideal des ‚einen', letzten, alle anderen aufhebenden Bildes in der späten Erzählung *Nachkommenschaften* ad absurdum führte, sei nur am Rande angemerkt.[10]
Was die Textkonstitution der beiden letzten Fassungen unter editionsphilologischen Gesichtspunkten so diffizil und gelegentlich höchst kompliziert macht, ist der Umstand, daß Stifter diese 4. Fassung bis zur Seite 62 in das Manuskript der drei Jahre zuvor entstandenen 3. Fassung hineinschrieb: erst ab Seite 63 laufen beide Fassungen auf getrennten Blättern fort und brechen zu- und auffälligerweise auf der 164. Seite der Handschrift mitten im Text ab. Diesen nicht autorisierten Text Stifters – exakter sollte man davon natürlich immer im Plural sprechen – hat dann postum Johann Aprent erstmals publiziert, wobei er in den Textbestand ebenso unbekümmert wie eigenmächtig eingriff, wie er dies gleichfalls beim *Frommen Spruch* oder der von ihm herausgegebenen dreibändigen Briefausgabe (1869) tat.[11]
Die *Historisch-Kritische Ausgabe* hat selbstverständlich nicht nur alle diese Eingriffe wieder getilgt, sondern sich darüber hinaus entschlossen, alle vier Fassungen gleichberechtigt nebeneinander zu stellen, um so den Lesern einen unvoreingenommenen Vergleich zu ermöglichen: sie liegen mittlerweile komplett vor. Der in Salzburg von Herwig Gottwald unter Mitarbeit von Walter Hettche 1998 erarbeitete Lesetext der 3. Fassung präsentierte dabei dem Lesepublikum wie der Forschung einen Text Stifters, der in dieser Form bislang noch nicht ediert vorlag.[12] Der im Jahr darauf erschienene integrale Apparatband trennt dann die Textschichten der ersten 62 Seiten voneinander und veranschaulicht so im wahrsten Sinne des Wortes die Genese sämtlicher Textstufen, wobei auch alle Arbeitsanweisungen, die Bleistift-, Rötelstift-, Tintenkorrekturen, die Marginalien, Rasuren, Emendationen, Besonderheiten der Varianten und der Handschrift überhaupt verzeichnet und dokumentiert werden.[13]
Bei einem vergleichenden Blick auf die vier Fassungen fällt als erstes natürlich das stetig anwachsende Volumen des Textcorpus ins Auge – der letzten *Mappe* fehlt gegenüber der 3. Fassung das 2. Kapitel des 2. Bandes[14] –, was es schwer macht, noch von einer ‚Erzählung' zu sprechen, wenngleich Stifter ja bekanntlich auch seinen *Witiko* ausdrücklich als eine solche bezeichnet hat. Der hier zur Verfügung stehende Raum verbietet es, alle vier *Mappen* in toto zu vergleichen, zumal die Forschung bereits markante Veränderungen registriert und dargelegt hat. So etwa den gegenüber der Journal-Fassung nunmehr veränderten Stil der *Studien*-Fassung, der sich gemessener und gemäßigter liest als der plastische und drastische, nicht selten von derben Eruptionen geprägte Ton, wie er in der Journal-Fassung vor allem in den Dialogen zwischen Augustinus und Eustachius herrscht, die in einer Reihe mit anderen ‚Narren' und ‚Sonderlingen' des frühen Stifter stehen und zudem an die autobiographisch getönten Prosaszenen vom *Leben und Haushalt dreier Wienerstudenten* erinnern, die Stifter in diesen Jahren für den von ihm herausgegebenen Sammelband *Wien und die Wiener* verfaßt hat.[15] Wie auch die Affekte des Obristen

– wenn dieser vom Tod seiner Frau erzählt – von Fassung zu Fassung reduzierter und gedämpfter werden. Zu nennen wäre hier ebenso die deutliche Rücknahme des Ich-Erzählers der Rahmenhandlung in der *Studien*-Fassung oder die Re-Integration des Prager Christine-Strangs und der Suche nach dem verschwundenen Eustachius in der letzten Fassung, in der im übrigen die Familienangehörigen des Doktors dann auch erstmals Namen erhalten, um hier nur einige Beispiele herauszugreifen.

Statt eines Gesamtüberblicks soll hier ein Vergleich des „Margarita"-Kapitels unternommen werden, der sich darin wiederum auf eine ganz bestimmte Episode, nämlich das sogenannte „Fest der Einlattung" konzentrieren wird, an dem sich Entwicklungen aufzeigen und aus dem sich – hoffentlich plausible – Schlüsse ziehen lassen, die über den engeren Kontext des Kapitels, ja womöglich sogar der *Mappe* überhaupt, Gültigkeit beanspruchen könnten. Wobei es auch hier gilt, zunächst eine Einschränkung zu machen, da sich – wie ein Blick auf das Schema zeigt – ein solcher Längsschnitt nicht vollständig durchführen läßt. Ein eigenes Kapitel mit diesem Titel fehlt in der Journal-Fassung, wo sich die Margarita-Handlung im Kapitel über den ‚sanftmüthigen Obristen' findet, der dort genealogisch im übrigen noch dem Scharnast-Komplex zugehört, aus dem ihn Stifter unter dem Namen Casimir Uhldom[16] dann in der *Studien*-Fassung löst. Diesen wird er auch in der 3. Fassung behalten, während in der letzten Mappe dann ein Casimir Ulsin von Ulheim[17] aus ihm wird. In der *Studien*-Fassung wird auch der Vetter Rudolph als Auslöser des folgenreichen Mißverständnisses bzw. der eifersüchtigen Mißdeutung des Kusses im Walde eingeführt, während in der Journal-Fassung noch von einem anonymen „Gastfreund" die Rede war, dem gegenüber sich Margarita als „liebreich" erwiesen hatte, weshalb ihn der als ungestüm und aufbrausend charakterisierte Augustinus zum Duell fordert, um anschließend zunächst brieflich um Margarita zu werben, sie sodann verbal „heftig" zu bedrängen und „in der Raserey trotziger Leidenschaft gar mit Selbstmord"[18] zu drohen.

Dieses Motiv des Suizids wird von Stifter gleich zu Beginn des Obristen-Kapitels auch in die *Studien*-Fassung übernommen, was ihm freilich schon während der Abfassung mißfiel und unangebracht erschien, „weil" – so in einem Brief an Heckenast vom 16. Februar 1847 – „der Doctor das nicht thut."[19] In den späten *Mappen* wird davon dann auch nicht mehr die Rede sein. Diese damit erneut vorgenommene kontrastierende Positionierung legt es zugleich nahe, den Vergleich zwischen den „Margarita"-Kapiteln der besseren Übersichtlichkeit halber eigentlich auf zwei Ebenen zu führen: zum einen, wie bereits mehrfach vorgenommen, zwischen der *Studien*-Fassung und den *beiden* späten *Mappen*, zum anderen in Form eines Binnenvergleichs zwischen der 3. und 4. Fassung, die sich allerdings weder in ihrer Architektonik noch ihrem Umfang (56 bzw. 53 Seiten) grundlegend voneinander unterscheiden, weshalb sich wesentliche Aufschlüsse hier vor allem aus einer die semantischen und syntaktischen Details berücksichtigende Mikroanalyse der Stifterschen Revision ziehen lassen.

Während nun in den Fassungen 2 bis 4 die Abfolge der beiden ersten Kapitel invariant bleibt – das „Gelöbniß" fehlt zwar in der 3. Fassung, Stifters Nummerierung läßt jedoch keinen Zweifel daran, daß er es entweder geschrieben oder aber fest eingeplant hatte –, nimmt Stifter in den letzten *Mappen* kompositorisch eine markante Umstellung vor, die die Erzählstruktur entscheidend verändert. Folgte in den *Studien* das „Margarita"- dem „Obristen"-Kapitel, so wird dies nunmehr gerade umgekehrt. Das bedeutet freilich, daß die ebenso konsequente wie auch auch kompliziertere, von Mathias Mayer so bezeichnete „Schleifenstruktur" der *Studien*-Fassung aufgegeben und in den späten *Mappen* nunmehr chronologisch erzählt wird. In den *Studien*, so Mayer, führt Stifter „in zwei großen Erzählschüben [...] das Geschehen an seinen Ausgangspunkt wieder zurück, indem sowohl das Kapitel über den Obristen als auch das über Margarita in den 8. Juni einmünden", welcher als Datum unter dem 2. Kapitel – „Das Gelöbniß" – steht. Und Mayer folgert: „Diese Kreis- und Wiederholungsstruktur wird auch auf der Figurenebene gestützt, wenn Augustinus in vielen Details entscheidende Krisen des Obristen in seinem eigenen Leben nachvollzieht."[20] Daß mit dem Wechsel zu einer linearen Erzählstruktur auch ein Wandel des Erkenntnisinteresses verbunden sei, da nunmehr „nicht mehr die Gedächtnis-Kunst der *Studien*-Fassung" im Mittelpunkt stehe, sondern „das breite Erzählen im epischen Format"[21], ist ebenso zuzustimmen, wobei es jene ‚epische' Darstellungsweise jedoch genau zu betrachten und bestimmen gilt.

Hinsichtlich seiner Proportionen erweist sich das „Margarita"-Kapitel der *Studien* auch als das bei weitem dominierendste der ganzen Erzählung, beansprucht es doch mit 125 von insgesamt 225 Seiten mehr als 55% des Gesamtumfangs, was um so bemerkenswerter ist, als dessen Namensgeberin dort erst spät, nämlich auf den letzten 15 Seiten, handlungsbestimmend ins Geschehen eingreift, was von Augustinus, der im Satz zuvor noch die „liebliche Freude unserer Wälder" gefeiert hatte, mit einer düsteren Ankündigung – „Da geschah etwas, das alles änderte" – präludiert wird, wie denn auch der nachfolgende Vorsatz „Ich will alles eintragen"[22] signalisiert, wie schwer dem Doktor die erinnernde Vergegenwärtigung wie die Niederschrift seines Zerwürfnisses mit Margarita fällt. Zuvor und zu Beginn des Kapitels waren die Leser zunächst Zeugen der schrittweisen Eingewöhnung des Doktors in seinen ländlichen Lebens- und Arbeitskreis geworden, bevor Stifter dann – ebenso weit ausgreifend wie grandios – auf fast 30 Seiten jene Schilderung des katastrophalen Eisbruchs einrückt, die in einem funktionalen Bezug zur der das Kapitel beschließenden Rudolph-Episode steht; die Entfesselung der Naturgewalten, auf die auch der Doktor, um Rat und Beistand gebeten, nur die Worte „Ich kann euch nicht helfen, Gott ist überall groß und wunderbar, er wird helfen und retten"[23] entgegnen kann, findet seine Entsprechung in jenem als „Rückfall in meine Kindheit"[24] gedeuteten, ungehemmten Zornesausbruch, mit dem der heimliche Augenzeuge Augustinus auf den Kuß zwischen Margarita und Rudolph reagiert; und die „Zerstörungen"[25], welche das Naturereignis angerichtet hat, lassen sich ebenso wie übrigens auch das nächtliche Erlebnis mit den Irrlichtern durchaus in einen analogen Bezug zur psychischen und mentalen Verfassung setzen, in der sich Augustinus nach der Rücknahme des Heiratsversprechens durch Margarita befinden wird, nachdem er zuvor am Wahrheitsgehalt ihrer Liebesversicherung gezweifelt hatte. Dieses alles bedrohende Szenario des Eissturzes fehlt in den „Margarita"-Kapiteln der späten Fassung, was in der Forschung kontrovers diskutiert wurde. Stifters Aussage im Brief an Heckenast vom 14. April 1864 – „Nach dem Kapitel ‚Margarita' kömmt nun erst der ‚sanftmüthige Obrist' und anderes auch der Eisfall erst später."[26] – scheint jedoch ein unwiderlegbares Indiz dafür, daß er keineswegs – im Sinne einer zusätzlichen Harmonisierung und Glättung der Bildungs- und Lebensgeschichte des Doktors – an eine Eliminierung dieses wichtigen Textbestandteiles dachte, sondern lediglich an eine Verschiebung in den 2. Band.

Sind die späten „Margarita"-Kapitel gegenüber der *Studien*-Fassung nicht zuletzt durch die eben erwähnte Auslagerung deutlich schmaler geraten, so nimmt in ihnen wiederum eine Episode einen ungleich breiteren Raum ein, die im Vergleich dazu in den *Studien* fast peripher erscheint. Gemeint ist das bereits erwähnte „Fest der Einlattung", also das Richtfest auf dem neu entstandenen Hause des Obristen; daß es in den *Studien* „mehrere Tage nach der Sonnenwende"[27] stattfindet, während es in der 3. und 4. Fassung jeweils auf den „ersten Tag des Christmonates"[28] terminiert wird, ist dabei weniger wichtig als der Umfang, den es dort einnimmt. Aus ziemlich genau zwei Seiten in den *Studien* dehnt es Stifter auf nunmehr 14 Seiten aus. Daß er es in den späten *Mappen* mit der Grundsteinlegung, welches als Fest in den *Studien* noch separat gefeiert wurde, zusammenlegt, erklärt diese Zunahme nicht hinreichend. Der markanteste und signifikanteste Wechsel liegt vielmehr in der Form und im Ton der Darstellung. Werden in den *Studien* eingangs als Gäste der Richter, der alte Pfarrer von Sillerau, der Gutsherr von Tunberg nebst Gattin und Töchtern, der Vetter, der Wirth vom Rothberge, sowie summarisch „mehrere Bauern und Nachbarn"[29] erwähnt, liest sich die Gästeliste in der letzen *Mappe* so: „Ich sah den Freiherrn von Tannberg mit seiner Gemalin und seinen Töchtern. Bei ihnen stand auch Margarita, die ein schwarzsammetnes Kleid anhatte. Der Pfarrer von Sillerau und der Pfarrer von Pirling waren da. Fast halb Pirling war gekommen, Matthias Ferent mit den Seinigen, der Bürgermeister, die Gemeindeältesten, der Schullehrer, der Krämer, der Färber, der Glaser, und so weiter. Der Hammerschmied Gerhard Rohr war da, der Glasmeister Johannes Blach, der Meier Paul Köfner vom Kirmwalde, der Landwirth Herrmann Löff, jeder mit den Seinigen, dann alle aus Thal ob Pirling, aus dem Thaugrunde, der obern und untern Dubbs, und den beiden Astung."[30] – Es wird dies beileibe nicht die einzige Aufzählung dieser Art bleiben, wie denn auch die Episode mit einer genauen Beschreibung der Kleidung einsetzt, die die Familie des Doktors zu diesem Fest trägt. Der „Zimmermannsspruch", den ein anonymer Zimmermannsgeselle in den *Studien* „auf uns herunter" rezitiert[31], kommt in den späten Fassungen aus dem Mund des 85jährigen Zimmermeisters Agapitus Klenz. Er wird uns, wie die beiden von seinem Sohn und „Werkführer"[32] Jeremias und dem „Maurermeister und Führer der Maurer"[33] Hadmar Kunter rezitierten Gedichte sowie der wiederum von Agapitus Klenz ausgesprochene abschließende Segenswunsch in vier insgesamt 44 (3. Fassung) bzw. 42 Verse (4. Fassung) umfassenden Einschüben wortwörtlich mitgeteilt.[34] Dies steigert sich dann noch beim anschließenden Fest, bei dem nicht nur die anwesenden Pfarrer nunmehr eine Funktion wie eine Stimme bekommen, indem sie die Feier mit einem Gebet eröffnen und beschließen. Was sich dazwischen ereignet, kann der Leser ebenfalls en détail nachvollziehen, werden doch sämtliche Trink- und Segenssprüche in Rede und Gegenrede wiedergegeben, was nun ganz wörtlich zu verstehen ist, handelt es sich dabei doch um keine spontanen, rhetorisch funkelnden oder gewollt witzigen Ansprachen, sondern um ritualisierte Redeformen, die in ihrer Abfolge nicht nur die soziale Rangordnung widerspiegeln, sondern in ihren Formulierungen wie den darauf erfolgenden Reaktionen einem genau festgelegten Zeremoniell gehorchen: „Die Anwesenden drükten ihre Zustimmung zu dieser Rede aus durch Erheben der Gläser, und beantworteten sie durch Zurufe."[35] Der ausdrückliche Verweis, daß etwas nach „Waldesart", „Waldesgebrauch"[36] oder „nach der Sitte des Waldes"[37] geschieht, wird deshalb auch zur stereotypen Wendung in den späten *Mappen* wie etwa auch im *Kuß von Sentze* oder dem *Frommen Spruch*.

Der Stilwandel ist unüberhörbar, wir finden ihn, wie eben angedeutet, in fast allen Texten des späten Stifter: Wo der Ich-Erzähler in der *Studien*-Fassung in der Auslotung eines narrativen Freiraums noch selbständig Akzente setzte, indem er dehnte oder raffte, ausließ oder übersprang, jedenfalls aber souverän zusammenfaßte, tritt er nun völlig hinter das Geschehen zurück, wird zum Chronisten, vielleicht genauer: zum Protokollanten eines Geschehens, dessen Ablauf, Choreographie und Inszenierung minutiös wiedergegeben werden müssen; es dominieren die parataktische Reihung, die unpersönliche Es-Form sowie vor allem die direkte Rede. Dem entspricht eine weitgehende Tilgung affektiver Elemente, die mitzuteilen sich der Ich-Erzähler in der 3. Fassung noch gestattet hatte. Aus dem mikrostrukturellen Vergleich der beiden letzten *Mappen* hierfür nur drei Beispiele. Zu Beginn der Feierlichkeiten informiert Augustinus in der 3. Fassung nicht nur über Ablauf und Ziel des Latterschlagens, sondern läßt die Leser darüber hinaus wissen: „Mir ist das Fest der Einlattung des Hausdaches, wie es in unserer Gegend gefeiert wird, ein sehr fröhliches [...]"[38] – ein Passus, der in der 4. Fassung dann ersatzlos gestrichen wird. Wenn ihn während des Festmahls der Genuß des Melnikers unwillkürlich an den Prager Freund erinnert, so „flog mir der Gedanke an den unglükseligen Eustachius in das Haupt und die Angst um ihn in das Herz."[39] Auch hier wird sich die letzte *Mappe* emotional zurücknehmen und es wesentlich neutraler beim bloßen „Gedanken"[40] belassen. Beim Eintrag in das Gästebuch schließlich eröffnet die Reaktion auf die Unterschrift Margaritas mit dem „Beisaz von Uhldom" – „Mir war, als hätte ich in Prag von Uhldom etwas gehört. Ich dachte aber jezt nicht weiter daran [...]"[41] – noch einen ungleich weiteren psychologischen Spielraum als die revidierte Mitteilung der 4. Fassung, die den Blick in erster Linie auf die nachfolgenden, vor dem Pergament wartenden Gäste und damit den ungestörten Fortgang der Zeremonie richtet: „Mir war, als

hätte ich in Prag von Ulheim gehört. Aber ich konnte nicht weiter denken, da ich schon so viele Zeit gebraucht hatte, sondern ich schrieb und ging wieder auf meinen Plaz."[42]
Daß dieser „Litanei-Stil"[43], wie man häufig angemerkt hat, gelegentlich die Grenze zum Grotesken streift, wenn nicht gar überschreitet, sei dabei gar nicht bestritten, wenn etwa „alle Mädchen, die hier versammelt waren", dann auch namentlich aufgezählt werden: „Dann waren die schönen Fräulein von Tannberg, dann war Agnes, Franziska, Josepha, Ludmila, die Tochter des Herrn Paul Köfner vom Kirnwalde, dann waren die Töchter der Witwe Kreßtan [...]".[44] Vergleichbares findet sich im *Nachsommer*, wo Heinrich Drendorfs immerhin 30 Monate dauernde Europareise im letzen Kapitel „Der Abschluß" in wenigen Zeilen so ‚zusammengefaßt' wird:

„Ich ging zuerst über die Schweiz nach Italien; nach Venedig Florenz Rom Neapel Syrakus Palermo Malta. Von Malta schiffte ich mich nach Spanien ein, das ich von Süden nach Norden mit vielfachen Abweichungen durchzog. Ich war in Gibraltar Granada Sevilla Cordoba Toledo Madrid und vielen anderen minderen Städten. Von Spanien ging ich nach Frankreich, von dort nach England Irland und Schottland und von dort über die Niederlande und Deutschland in meine Heimath zurück. Ich war um einen und einen halben Monat weniger als zwei Jahre abwesend gewesen."[45]

Freilich sollte dabei nicht außer Acht gelassen werden, daß und wie Stifters penible, wie es scheint rein deskriptive, gelegentlich monotone wenn nicht gar nur mechanisch registrierende Detailversessenheit sehr wohl ordnet, gewichtet und Akzente setzt. Denn so wie auf der zuvor entworfenen fiktionalen Landkarte des *Nachsommer* zahlreiche (notwendigerweise durchquerte) Landschaften und Örtlichkeiten narrativ ‚übersprungen' und ausgelassen wurden, bleibt auch in der *Mappe* der Reigen weiblicher Gäste und Tischnachbarinnen eine Auswahl, werden dort „die andern" sowie „alle die Landmädchen"[46] zuletzt nur summarisch erwähnt. Ein genauerer Blick auf die ‚Sprache der Augen', die in der letzten *Mappe* nochmals ebenso signifikant wie exklusiv zentriert wird, erlaubt gerade in diesem Abschnitt Rückschlüsse auf Stifters erzählstrategisches Kalkül. So erinnert sich der Doktor in der 3. Fassung an die „dunkelblauen Augen" des Fräuleins von Tannberg ebenso wie an die „schönen sanftblauen" von Agnes, die „pechschwarzen" von Franzisca Ferent wie die „braunen" ihrer Schwester Josepha oder die „blauen" von Ludmilla Köfner.[47] All dies weit mehr als eine bloße Farbpalette, erhebt Augustinus doch zugleich den Anspruch, aus den physiognomischen Daten diese „in ihren Wesen erkennen"[48] zu können – im Falle der „leuchtenden Augen" seiner Schwester Anna wie der „verschämten"[49] der Landmädchen wird die Grenze zur Deutung dann auch expressis verbis überschritten. Alle diese personalen (Detail)Zuschreibungen werden in der 4. Fassung eliminiert[50]: nur Anna und Margarita bleiben hier die Ausnahmen, denen allein das Privileg der ‚sprechenden Blicke' vorbehalten bleibt, womit sich das Interesse des Ich-Erzählers – wie der so vom Autor gesteuerten Leser – nunmehr verstärkt auf beide fokussiert. Konsequenterweise ist in dieser letzten Fassung „beim Abschiednehmen" dann auch die „weiße und blauäugige Tochter des Forstmeisters von Pirlingau Theresia"[51] aus dem narrativen Blickfeld verschwunden.
Wie unscharf und damit problematisch eine Klassifizierung solcher Reihungen als (rein) ‚deskriptiv' oder ‚objektiv' sind, mag zuletzt eine Passage aus der 4. Fassung illustrieren: „Unten begannen nun die Mädchen, die Bänder an die Lattner zu vertheilen. Margarita theilte aus, die Töchter des Freiherrn von Tannberg theilten aus, Franziska, Josepha, Agnes und alle, die da waren. Anna vertheilte auch seidene Bänder."[52] Das vorherrschende Prinzip der Redundanz fällt sofort ins Auge, vom Faktischen wie Formallogischen genügte der erste Satz, der bereits enthält und formuliert, was der nachfolgende lediglich expliziert. Damit jedoch nicht genug: wenn dort abschließend im Korrespondenzpartikel „alle" nochmals die anwesenden „Mädchen" in ihrer Gesamtheit benannt werden – eine Redundanz auch dies, da hier die Eingangsaussage wiederholt wird –, so wird man sich bei aufmerksamer Lektüre natürlich fragen, warum nachfolgend diese

summarische Feststellung nun erneut aufgebrochen und eigens Anna erwähnt und damit hervorgehoben wird. Ein Verfahren, das eben nicht nur aufzählt, sondern eher an den Wechsel von Totale und Nahaufnahme im Film erinnert.

Wenn Stifters Texte – was nachdrücklich bekräftigt sein soll – eine Schule der Wahrnehmung sind, so läßt sich natürlich fragen, was in solchen, an serielle Prosa erinnernden Passagen denn überhaupt noch mitgeteilt wird? Beziehungsweise: Welche Funktion ihnen zukommt, und was Stifter damit beabsichtigt? Im Kontext der geschilderten Feste und Zusammenkünfte in der *Mappe* dienen solche Auflistungen *auch* der sozialen Kontrolle, da in der peniblen Registrierung derjenigen, die anwesend sind, gerade auch die besonders auffallen, die fehlen oder aber nicht eingeladen wurden. Wie es denn auch dem Obristen nicht entgeht, wenn der Doktor – ganz gegen seine ‚Gewohnheit' – einige Tage nicht zu Besuch kommt. Seine der eigenen Lebenserfahrung entstammende Maxime – „Thut es, wenn ihr so meint, [...] und handelt ganz nach euerm Gefallen"[53] – entspricht dabei dem pädagogischen Ideal der *Mappe*, das zuletzt auf ein Zusammenfallen der eigenen Wünsche mit dem, was Sitte ist, zielt, was man jedoch nicht mit dem Kategorischen Imperativ Kants gleichsetzen sollte.

Man hat in den späten *Mappen* eine deutliche Aufwertung des Sozialen registriert, die Ort und Rang des Individuums von der ihn umgebenden Gemeinschaft her zu bestimmen sucht, und dessen Integrationswilligkeit wie Integrationsfähigkeit zum Prüfstein seiner Reife und seines Bildungsgrads macht. Die Antwort des späten Stifter auf diese Anforderungen ist zumal seit dem *Nachsommer* eine konsequente Hinwendung zur ‚Lebenswelt' (Braun), und was dabei entsteht, ist eine Literatur des Alltags, zugleich eine Literatur der „Bedeutungslosigkeit": „Welches Wehe und welche Freude liegt doch in dieser ungelesenen Geschichte begraben, und bleibt begraben [...] Und wie bedeutungslos ist diese Geschichte; sie geht nur zum Großvater oder Urgroßvater zurück, und erzählt oft nichts als Kindtaufen, Hochzeiten, Begräbnisse, Versorgung der Nachkommen – aber welch ein unfaßbares Maß von Liebe und Schmerz liegt in dieser Bedeutungslosigkeit!"[54] So der Ich-Erzähler der Rahmenhandlung, dem diese Bedeutungslosigkeit freilich ebenso wichtig werden wird, wie Stifter, dem es allerdings oblag, sie schriftstellerisch zu gestalten, was vor allem bedeutete, diesen Alltag in seinen Arbeits- wie Feiertagen mit gewissermassen mikroskopischem Blick zu sezieren und dabei kein Detail auszulassen. „Sie nannte mir die Namen aller, daß ich sähe, daß sie keines vergessen habe."[55] Was hier, in deutlichen Anklängen an die Bibel wie auch an das Volkslied *Weißt du wieviel Sternlein stehen*, über Margaritas Umgang mit der von ihr angelegten Naturaliensammlung gesagt wird, ließe sich geradezu als Essenz der poetologischen Programmatik des späten Stifter bezeichnen. Etwas existiert, wie wir aus der *Genesis* wissen, nur, wenn es eine Namen hat, und weil bekanntlich auch das Kleine und Kleinste seinen Wert und seine Würde hat, muß es benannt werden, um durch diese Akt der Namensgebung erinnert und bewahrt werden zu können: nicht zuletzt in der Literatur.

Auf diesen basalen, jeder ‚Beschreibung' vorgängigen, dabei mit ihr allerdings „im systematischen Zusammenhang" stehenden Aspekt der ‚Benennung' hat jüngst Christian Begemann am Beispiel der in Stifters Erzählung *Granit* anfänglich rekapitulierten Ort- und Landschaften hingewiesen:

„Ob diese Namen dem Leser buchstäblich böhmische Dörfer sind oder nicht, tut nichts zur Sache. Vielmehr bewirkt gerade ihre Beliebigkeit die Lenkung des Blicks auf ihre Funktion. Keineswegs geht es um irgendeine Form der Anschaulichkeit als Evokation der sinnlichen Präsenz der Landschaft durch die Sprache. Worauf es ankommt, ist, daß die Figuren den Landschaftsraum, indem sie ihn benennen, als einen bekannten und erschlossenen ausweisen, daß sie sich gegenseitig seine topographische Ordnung bestätigen, die noch über den Bereich des Sichtbaren hinausreicht, und daß sie schließlich diese Ordnung als eine durch Benennung sprachlich konstituierte zu erkennen geben und damit die Ordnungsfunktion der Sprache selbst."[56]

Woraus gefolgert wird: „An diesem Punkt kommt nun die Beschreibung ins Spiel und ‚verdeutlicht' sozusagen das Benannte, d.h. sie entfaltet die Eigenschaften und Merkmale dessen, was vorher lediglich klar gegeben war, wie das Faktum der Benennung belegt."[57]
Damit läßt sich nicht nur Stifters „maßloses Beschreiben"[58] in seiner Funktionalität präziser analysieren, sondern vor allem, so Begemann, die traditionelle „Opposition von Erzählen und Beschreiben"[59] und damit nicht zuletzt die „mittlerweile zum Topos erstarrte Diagnose von Stifters deskriptiver Prosa"[60] überwinden und produktiv erweitern. Wenn er die ‚Benennung' bei Stifter als einen „Akt der Ordnungssetzung" und „Prozeß einer Einweisung in die Wirklichkeit"[61] klassifiziert, so schließt dies freilich ein, daß sich diese Ordnung nicht mehr von selber versteht, sondern stets neu ‚erschrieben' werden muß und dabei jene ‚Spannung unter der (Text)Oberfläche' konstituiert, die in der Stifterforschung mittlerweile ebenfalls zum Topos geworden ist, und sich, wie Walter Hettche betont und demonstriert hat, zuallererst und buchstäblich ‚handfest' aus der Lektüre der oft zahlreichen Textschichten erschließt, wie sie die Apparatbände der *Historisch-Kritischen Ausgabe* rekonstruiert haben.[62]
„Die skrupulöse Registrierung winzigster Details, die schier endlosen Aufzählungen dessen, was – seltsamerweise – tatsächlich da ist", und die W. G. Sebald und andere Interpreten aus der „Auflösung der metapyhsischen Ordnung"[63] erklärten, realisiert sich in den Texten zumal des späten Stifter auf zahlreichen Ebenen und sie umfaßt nicht nur die Orientierung im geographischen, sondern auf analoge Weise die im sozialen Raum, dessen es sich ebenso vielfältig zu ‚versichern' gilt. Dies manifestiert sich in den Zeremonien der oft eher an liturgische Responsorien erinnernden, als den Informationsaustausch befördernden oder gar beschleunigenden ‚Dialoge', etwa im *Frommen Spruch*[64], ebenso wie in der minutiösen Evokation des Innendekors der Räumlichkeiten, das – wie Ruth Klüger gezeigt hat – im *Nachsommer* vom „statischen Hintergrund" zum „eigentlichen Romanthema wird."[65] Wenn gerade die Rolle von Ritual und Ritualität im Werk Stifters in den letzten Jahren verstärkt in den Mittelpunkt des Forschungsinteresses gerückt ist[66], so betrifft dies nicht nur exzeptionelle Rituale wie das Richtfest im „Margarita"-Kapitel der *Mappe* oder die den Jahresablauf strukturierende Geburtstagsfeier der Geschwister Dietwin und Gerlint von Weiden im *Frommen Spruch*, sondern in gleichem Maße das Räderwerk des Alltags, dessen bei Stifter labyrinthischer Struktur zuletzt insbesondere Stefan Braun in mehreren Ansätzen besonderes Augenmerk geschenkt hat.[67] An den Husserlschen Terminus der ‚Lebenswelt' und dessen Erweiterung durch Hans Blumenberg anknüpfend, löst er mit Blick auf die Welt des *Nachsommer* den scheinbaren Pleonasmus von der ‚Ritualisierung des Alltags' – denn was schließlich bedeutet ‚Alltag', wenn nicht die stets wiederkehrende Abfolge eingespielter, automatisierter und mechanisierter Handgriffe und Abläufe, die ‚eigentlich' weder je neu bedacht bzw. erzählt werden müssen? – mit überzeugenden Argumenten auf, indem er dessen spezifischen Eigenart wie folgt charakterisiert: „Der Alltag im *Nachsommer* – er wird nicht gelebt; er wird konstruiert, folgt der mechanistischen Logik einer präzisen Uhr, deren Gang es immer wieder neu in feinsten Deutungsakten zu ermitteln gilt. [...] Das Bestreben, den Alltag durchsichtig zu machen, hebt ihn auf, und deshalb ist in Stifters Texten zwar immer wieder von alltäglichen Dingen die Rede, aber es geht in ihnen im herkömmlichen Sinne nicht alltäglich zu. Die Alltagswelt weicht einer hochgradig konstruierten, immer wieder neu einzuholenden, künstlichen Daseinsbasis."[68] Weshalb sie in immer neuen Anläufen bis in die feinsten Verästelungen hinein erzählt werden muß, wozu im Einlattungsfest der *Mappe* eben die Abfolge der zahlreichen Glück- und Segenssprüche zählen. Daß hier auf ritualisierte Weise etwas ‚besiegelt' werden soll und gleichwohl offen bleibt, bezeugt der programmatische Ausruf „Freundschaft, Nachbarschaft"[69], der die Integration der Neuankömmlinge in die dörfliche Gemeinschaft keineswegs als ein Faktum, sondern vielmehr als einen Prozeß und eine Aufgabe begreift, deren Gelingen sich erst im künftigen Alltagsleben Pirlings realisieren und bewähren muß.

Deshalb kennt dieses Werk taxonomische Reihen und Reihungen unterschiedlichster Art. In einer der denkwürdigsten Repliken der *Mappe* wird der in Prag weilende Augustinus auf die Frage Jakobas „Ist es schön Ihrer Heimath?" zunächst antworten: „„Ich will sie Ihnen ein wenig beschreiben. [...] Da ist Wald und Wald und Wald." Im weiteren Verlauf dieses naturkundlichen Exkurses wird er aber nicht nur „Föhren, Fichten, Tannen, Buchen und Birken in Menge"[70] nennen, sondern ebenso die dort, im Böhmerwald, wachsenden Beeren.
Ohne Stifters Oeuvre, und gemeint ist hier wiederum vor allem das seines letzten Lebensjahrzehnts, damit zur wissenschaftlichen Prosa erklären zu wollen, scheint gerade hinter dieser bewußt ‚kunstlosen' Tendenz zu systematischer Reihung und möglichst lückenloser Aufzählung jedoch ein wissenschaftlich orientiertes Erkenntnisinteresse zu stehen[71], das zunehmend mehr – freilich durchaus auch zunehmend obsessiv – auf die Paradigmen von Exaktheit und Vollständigkeit setzt als auf sprachliche oder konzeptionelle Originalität oder gar Sensationalität. Daß dieses Projekt in seinem konkreten, in den Handschriften material nachprüfbaren Schreibprozeß nicht nur herkulische Ausmaße annimmt, sondern in seinem sisyphischen Totalitätsanspruch der ‚vollständigen Vollständigkeit' unvermeidlicherweise oft auch an seine Grenzen stößt, zählt zu den Erfahrungen, um die man den Autor und Menschen Stifter nicht immer beneiden muß.
Dieser ‚Beschreibungsfuror' kann unterschiedlich kodiert sein: etwa *geographisch*, wenn Stifter, wie im *Hochwald*, durch Benennung der Realien, vor allem aber durch deren genaue Erfassung vermittels eines virtuosen sprachlichen Gestaltungsvermögens die Topographie einer Landschaft – hier derjenigen zwischen dem Plöckensteinsee und Wittinghausen – vor unseren Augen entstehen läßt; er kann, wie etwa im *Witiko*, historiographisch grundiert sein, wenn sich Stifter, wie es Alfred Doppler und Wolfgang Wiesmüller in ihrem Kommentar innerhalb der *Historisch-Kritischen Ausgabe* durch Abdruck der entsprechenden Vorlagen belegt haben, auf Franz Palacky und andere historische Quellen stützte.[72] Er ist auf vielfältigste Weise naturwissenschaftlich motiviert, was neben den zahlreichen wissenschaftlichen Gerätschaften und archivierenden Kabinetten und Bibliotheken des *Nachsommer* etwa auch die Beschäftigung mit den auf Exkursionen gesammelten, zum Teil noch gar nicht in systematischer Klassifikation erfaßten Moosen im *Kuß von Sentze* wie die erwähnten Sammlungen Margaritas belegen.[73] Arthur Brande hat erst kürzlich sein Projekt einer *Flora Stifteriana* vorgestellt, das alle in seinen Texten wie Briefen vorkommenden pflanzenbezogenen Angaben – im *Hagestolz* sind es übrigens deren 361 – systematisch erfassen und auswerten soll.[74] Und auf der 1999 in Göttingen veranstalteten Tagung „Waldbilder" wurde aus forstwissenschaftlicher wie landschaftsarchitektonischer Sicht eindrucksvoll demonstriert, welche Informationen und Impulse diese Disziplinen aus Stifters Texten ziehen können.[75]
Was sich gerade in der *Mappe* an der Ausweitung wie grundlegenden Neukonzeption des Einlattungs-Festes exemplarisch demonstrieren ließe, möchte ich in Ergänzung der soeben skizzierten Erkenntnisinteressen abschließend als Stifters *ethnographischen* Blick bezeichnen. Weder an dramatischer Gestaltung oder der Inszenierung spektakulärer Höhepunkte noch an einer Form von Folklore interessiert, die leicht Gefahr läuft, ins Sentimentale und Idyllische abzugleiten[76], erkundet und dokumentiert Stifter in sachlicher Nüchternheit und mit einer oft aufs Notwendigste reduzierten, Faktisches registrierenden Sprache die Alltagsgeschichte eines mitteleuropäischen Soziotops. Inwieweit sich diese Darstellung ihrerseits auf Quellen stützt, wie ‚authentisch' sie also – etwa in der Wiedergabe der erwähnten festlichen Gebrauchslyrik – ist, wird der Kommentar zu den beiden späten *Mappen* zu erarbeiten haben. Damit soll Stifter weder zum Ahnherrn der Volkskunde ausgerufen oder unter die Gründungsväter der Ethnologie eingereiht werden: immerhin haben diese Linien auch Stefan Braun[77] und vor ihm schon Joachim Müller gezogen, der die Darstellung Pirlings in Stifters „Letzter Mappe" als „epischen Aufriß eines Sozialgefüges" würdigte.[78]

Was diese Überlegungen mit der Thematik ‚Stifter und Böhmen' zu tun haben, liegt auf der Hand, erschließen uns seine literarischen Vermessungen doch nicht nur die Topographie dieser Region, nicht nur deren Flora und Fauna, deren Wetter und Klima, sondern im wahrsten Sinne des Wortes auch ‚Land und Leute', in dem sie uns wichtige Aufschlüsse über deren Sitten und Gebräuche, in Sonderheit über das ländliche Alltagsleben ebenso wie die den Jahreszyklus strukturierenden Feiern und Feste geben. Wer also etwas über die condition humaine in der Mitte des 19. Jahrhunderts oder aber – wie im Falle der *Mappe* – des 18. Jahrhunderts erfahren will, wird deshalb *vor* anderen möglichen Quellen und Dokumenten wohl als erstes zu literarischen Zeugnissen und dabei zu Autoren wie Adalbert Stifter greifen, was einen Literaturwissenschaftler beruhigen kann und darf. Daß eine solche Sichtweise Stifter zudem und hoffentlich endgültig vom Etikett des ‚Biedermeierlichen' befreit und ihn stattdessen weit näher an den literarischen Realismus des 19. Jahrhunderts rückt, liegt dabei durchaus im Sinne und in der Absicht dieser Lesart, eröffnet zugleich aber weitere und womöglich lohnendere Fragestellungen, die hier abschließend nur angedeutet werden können. Denn so berechtigt die Frage ist, ob das Ansinnen, Stifter aus dem ideologischen Umkreis des Biedermeiers zu ‚retten', nicht Türen aufstoßen will, die angesichts des gegenwärtig erreichten Forschungsstandes längst offen stehen, wenn nicht gar aus den Angeln gehoben sind[79], so zulässig, ja geboten scheint zugleich die Forderung, die Epochenbezeichnung ‚Realismus' wie die Kategorie ‚realistischen Erzählens' zum einen nicht (mehr) undifferenziert zu benutzen[80], sowie zum anderen nicht unbesehen auf Stifter anzuwenden, in dessen Verfahren des ‚Benennens' wie ‚Beschreibens' etwa die Züge der Stilisierung nicht übersehen werden dürfen – und vollends in seinen letzten Erzählungen auch nicht mehr übersehen werden können.[81] Weshalb es ein lohnendes Unternehmen wäre, Adalbert Stifters Stellung *zum* wie seinen Ort *im* ‚weiten Feld' des sich entwickelnden wie etablierenden ‚bürgerlichen Realismus' erneut – und das heißt auf der Basis neuerer und neuster Forschungsresultate – systematisch zu bestimmen.

[1] Der vorliegende, für den Druck überarbeitete und erweiterte Aufsatz wurde unter diesem Titel erstmals am 31. Oktober 2005 auf dem Symposion „Stifter und Böhmen" (31. 10 bis 1. 11. 2005) in Prag vorgetragen; für diese Gelegenheit dankt der Vf. den Veranstaltern der Tagung sehr herzlich. Darüber hinaus verstehen sich die Ausführungen vor allem als Prolegomena zur Kommentierung der 3. und 4. Fassung der *Mappe meines Urgroßvaters*, die im Rahmen der *Historisch-Kritischen Gesamtausgabe der Werke und Briefe Adalbert Stifters* innerhalb der 6. Abteilung momentan in Salzburg von Herwig Gottwald und Silvia Bengesser erarbeitet wird: dort soll – über die beiden ‚späten' *Mappen* ausgreifend – ein synoptischer Vergleich aller vier Fassungen Stifters intensive Arbeit an dieser Erzählung analysieren und dokumentieren.

[2] Stifters Werke werden mit der Sigle HKG sowie der jeweiligen Band- und Seitenzahl zitiert nach: Adalbert Stifter: *Werke und Briefe. Historisch-Kritische Gesamtausgabe.* Im Auftrag der Kommission für Neuere deutsche Literatur der bayerischen Akademie der Wissenschaften herausgegeben von Alfred Doppler und Wolfgang Frühwald, ab 2002 von Hartmut Laufhütte. Stuttgart u. a. 1978ff. – Das Zitat in: HKG 6,2: *Die Mappe meines Urgroßvaters.* 4. Fassung. Lesetext, hrsg. von Herwig Gottwald und Adolf Haslinger unter Mitarbeit von Johannes John. 2004, S. 49.

[3] Vgl. HKG 1,9: *Studien*. Kommentar. Von Ulrich Dittmann. 1997, dort S. 229-279, bes. S. 237-243.

[4] Adalbert Stifter: *Die Mappe meines Urgroßvaters. Faksimileausgabe der Dritten Fassung.* Transkription von Alois Hofmann. Leipzig 1988 (= Manu *scripta* Bd. 3. *Faksimileausgaben literarischer Handschriften*, hrsg. von Karl-Heinz Hahn).

[5] HKG 1,2: *Studien*. Journalfassungen. Zweiter Band, hrsg. von Helmut Bergner und Ulrich Dittmann. 1979, S.9-102.

[6] HKG 1,5: *Studien*. Buchfassungen. Zweiter Band, hrsg. von Helmut Bergner und Ulrich Dittmann. 1982, S. 9-234.

[7] Mayer, Mathias: *Adalbert Stifter. Erzählen als Erkennen*. Stuttgart 2001 (= *Reclams UB* 17627), S. 95.

[8] Adalbert Stifter: *Sämtliche Werke*, begr. u. hrsg. von August Sauer, fortgef. von Franz Hüller, Gustav Wilhelm u. a.

Prag : Calve 1904ff., Reichenberg: Kraus 1925ff., Graz: Stiasny 1958ff. 25 Bände. (Reprint: Hildesheim: Gerstenberg 1972). Künftig unter der Sigle PRA sowie der jeweiligen Band- und Seitenzahl. PRA 12: *Die Mappe meines Urgroßvaters.* Aus den nachgelassenen Handschriften erstmals hrsg. von Franz Hüller. 1939, S. XLV

[9] Martin & Erika Swales: *Adalbert Stifter. A Critical Study.* Cambridge u. a. 1984 (= *Anglica Germanica* Series 2), S. 119.

[10] Hierzu: Johannes John: *Die Utopie des „fertigen Textes".* In: *Stifter-Jahrbuch.* Neue Folge, Bd. 20 (2006), S. 99-115. – Konstanze Fliedl: *Berg, Moor und Baum. Eine Lektüre der „Nachkommenschaften".* In: *Stifter und Stifterforschung im 21. Jahrhundert. Biographie – Wissenschaft – Poetik*, hrsg. von Alfred Doppler, Johannes John, Johann Lachinger und Hartmut Laufhütte. Tübingen 2007, S. 262-282, hier bes. S. 261f.

[11] Hierzu jüngst Alfred Doppler: *Adalbert Stifters Briefe als Dokumente der Selbstdarstellung.* In: *Stifter und Stifterforschung im 21. Jahrhundert* (Anm. 10), S. 1-12. Zum *Frommen Spruch* ebendort Johannes John: *„sagt" oder „sagte"? Editionsphilologische Überlegungen zum letzten Satz von Adalbert Stifters Erzählung „Der fromme Spruch"*, S. 295-306. Ebenso Moriz Enzinger: *Zu Johann Aprents Ausgabe von Stifters „Frommen Spruch".* In: M. E.: *Gesammelte Aufsätze zu Adalbert Stifter.* Wien 1967, S. 23-33.

[12] HKG 6,1: *Die Mappe meines Urgroßvaters.* 3. Fassung. Lesetext, hrsg. von Herwig Gottwald und Adolf Haslinger unter Mitarbeit von Walter Hettche. 1998.

[13] HKG 6,3: *Die Mappe meines Urgroßvaters.* 3. und 4. Fassung. Integraler Apparat. Von Herwig Gottwald und Adolf Haslinger unter Mitarbeit von Walter Hettche. 1999.

[14] Vgl. hierzu das Schema im Anhang.

[15] HKG 9,1: *Wien und die Wiener, in Bildern aus dem Leben*, hrsg. von Johann Lachinger. 2005, S. 197-213.

[16] HKG 1,5, S. 44.

[17] HKG 6,2, S. 155.

[18] HKG 1,2, S. 39.

[19] PRA 17, S. 209.

[20] Mayer (Anm. 7), S. 105f.

[21] Ebenda, S. 106.

[22] HKG 1,5, S. 175.

[23] Ebenda, S. 115.

[24] Ebenda, S. 178.

[25] Ebenda, S. 125.

[26] PRA 20, S. 189.

[27] HKG 1,5, S. 146.

[28] HKG 6,1, S. 123 bzw. HKG 6,2, S. 113.

[29] HKG 1,5, S. 146f.

[30] HKG 6,2, S. 114.

[31] HKG 1,5, S. 147.

[32] HKG 6,1, S. 125 bzw. HKG 6,2, S. 115.

[33] HKG 6,1, S. 127 bzw. HKG 6,2, S. 116.

[34] Deutliche Differenzen weisen dabei die von Jeremias Klenz rezitierten, in der letzten *Mappe* um zwei Zeilen gekürzten Verse auf; in Hadmar Kunters Gedicht hat Stifter die Eingangsverse 1-13 in vergleichbarer Weise revidiert, während die Verse 14-22 nahezu identisch bleiben und damit ähnlich geringe Varianten aufweisen wie die einleitenden und abschließenden Sprüche des Agapitus Klenz. Der Stellenkommentar wird zu klären haben, inwieweit Stifter hier auf den Fundus überlieferten Brauchtums zurückgriff.

[35] HKG 6,2, S. 125.

[36] HKG 6,1, S. 145.

[37] Ebenda, S. 141.

[38] Ebenda, S. 123.

[39] Ebenda, S. 131.

[40] HKG 6,2, S. 121.

[41] HKG 6,1, S. 129.

[42] HKG 6,2, S. 119.

[43] Mayer (Anm. 7), S. 108.

[44] HKG 6,2, S. 124.

[45] HKG 4,3: *Der Nachsommer. Eine Erzählung*. Dritter Band, hrsg. von Wolfgang Frühwald und Walter Hettche. 2000, S. 255.

[46] HKG 6,2, S. 124.

[47] HKG 6,1, S. 134f.

[48] HKG 6,1, S. 135 bzw. HKG 6,2, S. 124.

[49] HKG 6,1, S. 134f. bzw. HKG 6,2, S. 124.

[50] Vgl. Anm. 44.

[51] HKG 6,1, S. 137.

[52] HKG 6,2, S. 118.

[53] Ebenda, S. 149.

[54] HKG 1,5, S. 17.

[55] HKG 6,2, S. 141.

[56] Christian Begemann: *Adalbert Stifter und das Problem der Beschreibung*. In: *Beschreibend wahrnehmen – wahrnehmend beschreiben. Sprachliche und ästhetische Aspekte kognitiver Prozesse*, hrsg. von Peter Klotz und Christine Lubkoll. Freiburg i. Br. 2005, S. 189-209, hier S.193. – Hierzu grundlegend auch Christian Begemann: *Die Welt der Zeichen. Stifter-Lektüren*. Stuttgart-Weimar 1995.

[57] Ebenda, S. 193.

[58] So die Überschrift eines Kapitels bei Eva Geulen: *Worthörig wider Willen. Darstellungsproblematik und Sprachreflexion in der Prosa Adalbert Stifters*. München 1992, S. 82-86.

[59] Begemann: *Adalbert Stifter und das Problem der Beschreibung* (Anm. 56), S. 191.

[60] Ebenda, S. 190.

[61] Ebenda., S. 192.

[62] Walter Hettche: *Die Dokumentation der Handschriften zu Stifters „Nachsommer" und ihr textanalytisches Potential*. In: *Stifter und Stifterforschung im 21. Jahrhundert* (Anm. 10), S. 235-259, hier bes. S. 241f.

[63] W. G. Sebald: *Bis an den Rand der Natur. Versuch über Stifter*. In: W. G. S.: *Die Beschreibung des Unglücks. Zur österreichischen Literatur von Stifter bis Handke*. Salzburg-Wien 1985, S. 18.

[64] Hierfür nur ein Beispiel: „‚So schließen wir die Verhandlung über diesen Gegenstand,' sprach die Tante. / ‚So schließen wir sie,' erwiederte der Oheim, ‚da ja doch nichts zu verhandeln ist.' / Sie schloßen, weil wirklich nichts da war, das verhandelt werden konnte." In HKG 3,2: *Erzählungen*. 2.Band, hrsg. von Johannes John und Sibylle von Steinsdorff. 2003, S. 301.

[65] Klüger, Ruth: *Der eingerichtete Mensch: Innendekor bei Adalbert Stifter*. In: R. K.: *Katastrophen. Über deutsche Literatur*. Göttingen 1994, S.107-131, hier S.107f.

[66] Vgl. hierzu Michèle Godau: *„Wirkliche Wirklichkeit". Mythos und Ritual bei Adalbert Stifter und Hans Henny Jahnn*. Würzburg 2005 (= *Epistemata. Würzburger Wissenschaftliche Schriften*, Reihe Literaturwissenschaft Bd. 542). – Botterauer, Alice: *Ritual und Ritualität bei Adalbert Stifter*. Wien 2005. – Ebenso die vom Institut für Polonistik der Universität Opole und dem Institut für Literarische Forschungen an der Polnischen Akademie der Wissenschaften in Warszawa von 28. bis 30. Oktober 2005 im polnischen Opole veranstaltete wissenschaftliche Konferenz „Alltäglichkeit in der Literatur des 19. und 20. Jahrhunderts. Von Adalbert Stifter bis zur Gegenwart." Die Beiträge werden demnächst in einem Tagungsband nachzulesen sein, zu Adalbert Stifter besonders Ulrich Dittmann: *„Der heilige Alltag" – Stifters Stellenwert in der Tradition eines strittigen Themas der deutschen Literatur*. – Wolfgang Wiesmüller: *Historizität und Aktualität von Adalbert Stifters „Witiko"*. – Hubert Lengauer: *Uniform der Einfachheit. Zum Kleidercode bei Stifter*. – Sowie Johannes John: *Rituale des Sprechens – Rituale des Schreibens. Zur Textkonstitution des „Frommen Spruchs"*. Zuletzt: *Ordnung - Raum - Ritual. Adalbert Stifters artifizieller Realismus*, hrsg. von Sabina Becker und Katharina Grätz. Heidelberg 2007.

[67] Stefan Braun: *„Lebenswelt" bei Adalbert Stifter*. Frankfurt a. M. u. a. 1990 (= *Forschungen zur Literatur- und Kulturgeschichte*, hrsg. von Helmut Kreuzer und Karl Riha Bd. 29). Dort wird der Terminus wie folgt definiert:

„Lebenswelten', das sind kleine, überschaubare, von ungebrochener Traditionalität geprägte soziale Einheiten etwa der Familie oder des Dorfes in ihrer durchschnittlichen Alltäglichkeit." (S. 13) Zum Akt der ‚Ordnungssetzung', den – wie zitiert – auch Christian Begemann (*Die Welt der Zeichen*, Anm. 56) betont, bes. S. 19. – Stefan Braun: *Gelebte, zelebrierte oder mechanisierte Alltäglichkeit? Der Stellenwert des Alltags in Adalbert Stifters Roman „Der Nachsommer" und in seiner Erzählung „Bergkristall"*. In: *Begegnungen mit Adalbert Stifter. Aachener Akademietagung zum 200. Geburtstag*, hrsg. von Karl Allgaier und Josef Schreier. Aachen 2006 (= *Aachener Beiträge zu Pastoral- und Bildungsfragen*, Bd. 24), S. 139-158. – Stefan.Braun: *Naturwissenschaft als Lebensbasis? Adalbert Stifters Roman „Der Nachsommer" und weitere Schriften Stifters als Dokumente eines Versuches der Daseinsgestaltung auf der Grundlage naturwissenschaftlichen Forschens.* Linz 2006 (*Beiträge zur Stifterforschung* Bd.42).

68 Stefan Braun: *Gelebte, zelebrierte oder mechanisierte Alltäglichkeit?* (Anm. 67), hier S. 143 und 146.

69 HKG 6.2, S. 123.

70 Ebenda, S. 78.

71 Hierzu Christian Begemann: *Metaphysik und Empirie. Konkurrierende Naturkonzepte im Werk Adalbert Stifters.* In: *Wissen in Literatur im 19.Jahrhundert*, hrsg. von Lutz Danneberg und Friedrich Vollhardt in Zusammenarbeit mit Hartmut Böhme und Jörg Schönert. Tübingen 2002, S.92-126. Vgl auch die unter Anm.67 genannte Studie *Naturwissenschaft als Lebensbasis?* von Stefan Braun.

72 HKG 5,4: *Witiko*. Apparat, Kommentar. Teil I. Von Alfred Doppler und Wolfgang Wiesmüller. 1998. HKG 5,5: *Witiko*. Apparat, Kommentar. Teil II. Von Alfred Doppler und Wolfgang Wiesmüller. 2001.

73 Hierzu noch immer grundlegend Martin Selge: *Adalbert Stifter. Poesie aus dem Geist der Naturwissenschaft.* Stuttgart u. a. 1976 (= *Studien zur Poetik und Geschichte der Literatur*, Bd. 45).

74 Arthur Brande: *Flora Stifteriana – ein literarisch-botanischer Forschungsansatz.* In: *Begegnungen mit Adalbert Stifter. Aachener Akademietagung zum 200. Geburtstag* (Anm. 67), S. 61-78.

75 *Waldbilder. Beiträge zum interdisziplinären Kolloquium „Da ist Wald und Wald und Wald" (Adalbert Stifter). Göttingen, 19. und 20. März 1999* (Veranstaltet vom Fachbereich Forstwirtschaft und Umweltmanagement der Fachhochschule Hildesheim/Holzminden/Göttingen, dem Institut für Deutsche Philologie der Universität München und der Bayerischen Akademie der Wissenschaften), hrsg. von Walter Hettche und Hubert Merkel. München 2000.

76 Vgl. hierzu auch Werner Vordtriedes Notiz zu seiner *Nachsommer*-Lektüre im Washingtoner Exil: „All diese Beschreibungen kleiner Gegenstände gerät nie in den unleidlichen, falsch-naiven Ton der heutigen deutschen Heimatkünstler und Primitivitätsschwärmer. Nichts von Hälmchen, Käferchen und putzigem Getue. Hier ist alles Gegenständliche als geheimnisvolles Bildungsgut dargestellt [...]." In: W. V.: *Das verlassene Haus. Tagebuch aus dem amerikanischen Exil 1938–1947*. München 1975, S. 151.

77 Stefan Braun: *‚Lebenswelt' bei Adalbert Stifter* (Anm. 67), S. 31f., dort mit Bezug auf Michael Rutschky.

78 Joachim Müller: *Einige Gestaltzüge in Stifters „Letzter Mappe"*. In: *Adalbert Stifter. Studien und Interpretationen. Gedenkschrift zum 100. Todestage*, hrsg. von Lothar Stiehm. Heidelberg 1968, S. 245-270, bes. S. 268-270. Wenn Müller in den von ihm analysierten Zitat die „spannungsreiche Hypotaxe" hervorhebt, steht dies nicht im Widerspruch zur oben apostrophierten parataktischen Struktur anderer Passagen, sondern bildet vielmehr ein Indiz für die narrative Variabilität Stifters.

79 Stellvertretend für andere sei hier nur genannt: *Zwischen Goethezeit und Realismus. Wandel und Spezifik in der Phase des Biedermeier*, hrsg. von Michael Titzmann. Tübingen 2002 (= *Studien und Texte zur Sozialgeschichte der Literatur* Bd. 92).

80 Dies betont auch Christian Begemann: „Man sollte daher Abschied nehmen von der Vorstellung, Beschreibungen stünden in einem wie immer gearteten mimetischen Verhältnis zu ihrem Objekt. Eher wird man sagen dürfen, daß es zu den Gattungsbestimmungen der Beschreibung gehört, ein solches mimetisches Verhältnis lediglich zu suggerieren und zu fingieren." In: *Adalbert Stifter und das Problem der Beschreibung* (Anm. 56), S. 20. Und zuvor schon: „Tatsächlich steht ja der aufkommende Realismus weit weniger im Zeichen eines Detailrealismus als in dem der Wiedergabe von Tiefenstrukturen des Wirklichen." (Ebenda., S. 191, Anm. 8). Hierzu auch der mehrfach aufgelegte Materialienband *Theorie des bürgerlichen Realismus. Eine Textsammlung,* hrsg. von Gerhard Plumpe. Stuttgart 2005 (erstmals 1985). Vgl. hierzu auch Anm. 66.

81 Dieses Moment der Stilisierung hob ebenfalls schon Werner Vordtriede am Ende des zitierten Passus über den *Nachsommer* (vgl. Anm. 76) hervor: „Kein realistischer Roman: das Schweigen ist in ihm stilisiert." (S. 151)

ADALBERT STIFTER: DIE MAPPE MEINES URGROSSVATERS

Journalfassung (1841/42)	**Studienfassung (1847)**	**3. Fassung (1864)**	**4. Fassung (1867)**
		1. Band	1. Band
I. Die Antiken	1. Die Alterthümer	1. Die Alterthümer	1. Die Alterthümer
II. Der sanftmüthige Obrist	2. Das Gelöbniß	3. Von den zwei Bettlern	2. Das Gelöbniß
III. Die Geschichte der zween Bettler	3. Der sanftmüthige Obrist	4. Thal ob Pirling	3. Von den zwei Bettlern
IV. Das Scheibenschießen in Pirling	4. Margarita	5. Margarita	4. Thal ob Pirling
	5. Thal ob Pirling	6. Der sanftmüthige Obrist	5. Margarita
	6. Das Scheibenschießen in Pirling	7. Von unserem Hause	6. Der sanftmüthige Obrist
	7. Das Nachwort		7. Von unserem Hause
		2. Band	
		1. Von meinem Hause	2. Band
		2. Das Scheibenschießen in Pirling	1. Von meinem Hause
93 Seiten (HKG 1,2)	225 Seiten (HKG 1,5)	335 Seiten (HKG 6,1)	257 Seiten (HKG 6,2)

AUGUST SAUER ALS GRÜNDER DER WISSENSCHAFTLICHEN STIFTER-FORSCHUNG

PETER BECHER

Rainer Maria Rilke, der im Wintersemester 1895/96 in Prag eine Vorlesung von August Sauer über die „Geschichte der deutschen Literatur in der ersten Hälfte des 19. Jahrhunderts" gehört hatte[1], schrieb am 11. Januar 1914 in Paris einen Brief an Sauer, in dem er sich nach den Werken Adalbert Stifters erkundigte:

„Nun schlage ich gestern zur Orientierung Meyers Konversationslexikon auf und finde, zu meiner Freude, dort vermerkt, daß die Gesellschaft zur Förderung Deutscher Wissenschaft, Kunst und Literatur in Böhmen mit der Herausgabe Stifters Sämmtlichen Werken beschäftigt sei. Und daraus entspringt nun die [...] Bitte: mir zu schreiben, verehrter Freund, ob diese Edition tatsächlich im Gange oder gar abgeschlossen sei. Ob eine Möglichkeit für mich bestünde, sie, etwa mittels Teilzahlungen, zu erwerben."[2]

Dieser Brief dokumentiert nicht nur Rilkes Interesse an Stifter, von dem er schreibt, dass er ihm „zu einem ganz eigenen Gegenstand der Liebe und der Erbauung geworden" sei[3], sondern führt auch direkt zu August Sauer, dem Adressaten des Briefes, zu Sauers Tätigkeit als Germanist und der von ihm mitbegründeten „Gesellschaft zur Förderung deutscher Wissenschaft, Kunst und Literatur in Böhmen", welche die Plattform der Stifterforschung darstellte. Damit ist die Gliederung des folgenden Beitrags vorgegeben.

August Sauer

Erstaunlicherweise liegt bis heute keine ausführliche biographische Würdigung Sauers vor. Neben kurzen Lexikonartikeln und der Festschrift zu seinem 70. Geburtstag[4], die 1925 in Stuttgart erschienen ist und Aufsätze von Schülern und Freunden enthält, aber keine Darstellung seines Lebens und Schaffens, geht allein der von Josef Pfitzner 1928 herausgegebene Band *August Sauers Kulturpolitische Reden und Schriften*[5] ausführlicher auf Sauers Leben ein. Die nicht ganz fünfzigseitige, von Pfitzner verfasste Einleitung[6] beschreibt Sauers Werdegang im Brennpunkt kulturpolitischer Strebungen und Auseinandersetzungen, mithin im Blickwinkel einer Perspektive, der die deutsch-tschechischen Auseinandersetzungen in Böhmen und der Tschechoslowakei vorrangiger Gegenstand sind. Eine allgemeine Würdigung Sauers steht nach wie vor aus und kann durch folgende Darstellung nicht ersetzt, allenfalls angeregt werden.[7]
August Sauer, der am 12. Oktober 1855 in Wiener Neustadt geboren wurde, studierte an der Wiener Universität Germanistik, Geschichte und Anglistik und erhielt nach der bereits 1879 verfassten Habilitationsschrift[8] eine erste Dozentur in Lemberg, wo er vier Jahre lang lehrte. Die nationalen Spannungen, die er dort zwischen Polen, Ruthenen und Deutschen erlebte, veranlassten ihn rückblickend zu der brieflichen Äußerung: „Ich bin nun aus diesen unerquicklichen Verhältnissen für immer erlöst, darf wieder Mensch und wieder Deutscher sein. Zu solchem Völkerkampfe tauge ich nicht".[9]
In Graz, wo er diese Zeilen schrieb, blieb Sauer lediglich drei Jahre. Im Mai 1886 übernahm er die „Lehrkanzel für neuere deutsche Literaturgeschichte an der Prager Deutschen Universität".[10] Sauer war damals 30 Jahre alt, Prag wurde zu seinem letzten und längsten Wirkungsort. Hier lernte er Hedda Rzach kennen, die um zwanzig Jahre jüngere Tochter des Professors für klassi-

sche Philologie Alois Rzach, die bald seine Frau wurde und als Schriftstellerin hervortrat.[11] 1891 wurde Sauer zum ordentlichen Professor ernannt, 1907 zum Rektor der Universität gewählt. Die Wohnung von August und Hedda Sauer zählte um die Jahrhundertwende zu den intellektuellen Salons von Prag. Bei ihnen verkehrten u. a. Bertha von Suttner und der junge Rilke. Es gehört zur Ironie von Sauers Lebensgeschichte, dass er in Prag nicht nur ebenso heftige ethnische Auseinandersetzungen erlebte wie in Lemberg, man denke an die Badenikrise von 1897, sondern selbst zu einem Repräsentanten der deutschen Seite wurde.
Erst wenige Jahre vor seiner Ankunft war die Prager Universität geteilt worden. In den 80er und 90er Jahren entstanden deutsche und tschechische Vereine, die den nationalen Besitzstand verteidigten und die Polarisierung der böhmischen Gesellschaft vorantrieben, so zum Beispiel der „Deutsche Schulverein" (1880) und die „Ústřední matice školská" (1880), der „Deutsche Böhmerwaldbund" (1884) und die „Národní jednota pošumavská" (1885). Karikaturen dieser Jahre vermitteln ein Bild davon, wie erhitzt die Gemüter waren und mit welch harten Bandagen gekämpft wurde.[12] In diesem Kontext wurde Sauer zu einem streitbaren Vertreter der deutschen Universität, für die er die gleiche finanzielle Unterstützung forderte, auch wenn die tschechische Universität die „doppelte Hörerzahl" besaß.[13] Nach der Gründung der Tschechoslowakei bekannte sich Sauer dann allerdings zu dem neuen Staat und blieb in Prag.[14] Im Streit um die Verlegung der Universität nach Reichenberg sprach er sich ebenfalls „entschieden für Prag" aus, und auch in einer anderen Frage blieb er seinen Prinzipien treu. So sehr er sich für die nationale Behauptung der Deutschen einsetzte, so wenig war er bereit, diese Haltung mit einer antisemitischen Gesinnung zu verbinden. Josef Pfitzner berichtet, dass die „nationale Studentenschaft wegen ihrer Auffassung in der Judenfrage"[15] von Sauer abrückte, der sich in seinen letzten Lebensjahren nicht zuletzt deshalb von den öffentlichen Diskussionen zurückzog. Im März des Jahres 1896 musste er sich einer Blinddarmoperation unterziehen. Eine Woche vor seinem Tod erlitt er einen Schlaganfall.[16] Der tschechische Germanist Otakar Fischer würdigte August Sauer im Prager Tagblatt mit den Worten:

„Zwar hatte der Herausgeber der ‚Deutschen Arbeit' in der Vorkriegszeit sich zu nationalistischen Grundsätzen bekannt und in einer vielbeachteten Diskussion den tschechischen Hochschulpostulaten nicht ihr volles Recht angedeihen lassen, doch diese nationale Stellungnahme hinderte den hochverdienten Gelehrten durchaus nicht, mit Vertretern tschechischer Literaturwissenschaft – Kollegen und besonders Schülern – die denkbar besten „freundnachbarlichen" Beziehungen zu unterhalten. Und umso bedeutsamer war es, daß sich August Sauer, als einer der führenden Geister des Prager Deutschtums, nach dem Umsturz voll und ganz auf den Boden des erneuerten Staates stellte und seiner Zugehörigkeit zu unserem Lande – er, ein gebürtiger Niederösterreicher – zu wiederholten Malen durch Wort und Tat Ausdruck verlieh."[17]

Literaturwissenschaftlich ist Sauer vor allem als Bearbeiter und Herausgeber der historisch-kritischen Ausgaben von Grillparzer und Stifter hervorgetreten, er war Mitherausgeber der *Sämtlichen Werke* von Ferdinand Raimund und hat ein zweibändiges Werk über Goethe und Österreich publiziert. Seine *Gesammelten Schriften* sind 1933/1941 erschienen. Sauer war Begründer und Mitherausgeber der Zeitschrift *Euphorion*, er war Mitglied der Bayerischen und der Wiener Akademie der Wissenschaften, außerdem „Ehrenmitglied der Modern Language Association of Amerika".[18] 1904 hatte er an dem „Congress of Arts and Science" in St. Louis teilgenommen.[19] Unter den Hörern, welche die Vorlesungen und Seminare Sauers besuchten, finden sich viele bekannte Namen. Einige wie Rilke, Franz Kafka (Sommersemester 1902) und Egon Erwin Kisch (Sommersemester 1904) tauchen nur ein oder zwei Mal in dem Hörerverzeichnis auf, andere wie Paul Eisner, Paul Kisch, Ernst Leibl, Josef Mühlberger, Josef Nadler, Josef Pfitzner, Johannes Stauda, Johannes Urzidil, und F.C. Weiskopf haben Sauers Vorlesungen mehrere Jahre lang besucht.[20]

Die Gesellschaft zur Förderung deutscher Wissenschaft, Kunst und Literatur in Böhmen

Die Polarisierung der böhmischen Gesellschaft machte, wie die Teilung der Prager Universität zeigt, auch vor der Wissenschaft nicht Halt. Nachdem 1890 die „Böhmische (tschechische) Kaiser Franz Joseph-Akademie der Wissenschaften, Künste und Literatur in Prag" gegründet worden war, entstand ein Jahr später die „Gesellschaft zur Förderung deutscher Wissenschaft, Kunst und Literatur in Böhmen". Da die Wiener Regierung neben der Akademie der Wissenschaften in Wien keine zweite deutsche Akademie in der Monarchie zulassen wollte, mussten die Prager Gelehrten mit der Bezeichnung „Gesellschaft" vorlieb nehmen.[21] Ihr Bestreben, die Gesellschaft zu einer Akademie aufzuwerten, war erst im Dezember 1941 erfolgreich, im Protektorat Böhmen und Mähren.[22] Die konstituierende Sitzung der Gesellschaft fand am 18. April 1891 statt, ihren Sitz hatte sie von 1893 bis 1920 im Clam-Gallas-Palais.
August Sauer zählte zu den Gründungsmitgliedern der Gesellschaft und war von 1918 bis zu seinem Tod im Jahr 1926 auch ihr Präsident. Die Gesellschaft hatte 40 ordentliche Mitglieder, die in den Abteilungen Wissenschaft, Kunst, Literatur und Tonkunst tätig waren.[23] Zu den zahlreichen Publikationen der Gesellschaft zählten neben *Mitteilungen, Rechenschaftsberichten* (seit 1929 *Jahresberichten*), *Forschungen zur Kunstgeschichte Böhmens* und *Beiträgen zur deutsch-böhmischen Volkskunde* auch die *Deutsche Arbeit. Monatsschrift für das geistige Leben der Deutschen in Böhmen*, die in 17 Jahrgängen von 1901-1917 erschien, und die *Bibliothek deutscher Schriftsteller aus Böhmen*, die von 1894-1939 49 Bände herausbrachte.[24]
Nachdem am 31. Dezember 1898 die Schutzfrist für Stifters Werke abgelaufen war[25], legte die Kommission, welche die *Bibliothek deutscher Schriftsteller aus Böhmen* betreute, bei der Hauptversammlung der Gesellschaft am 8. März 1899 den Plan vor, eine „kritische Gesamtausgabe der Werke Stifters vorzubereiten".[26] Der Kommission gehörten neben August Sauer Adolf Hauffen, Alfred Klaar und Josef Neuwirth an.[27] Der Plan wurde genehmigt, einen Monat später veröffentlichte die Kommission einen Aufruf zur Unterstützung in verschiedenen Tageszeitungen.[28]
Die Bemühungen erstreckten sich zunächst auf die „möglichst vollständige Sammlung des gedruckten und ungedruckten Materials".[29] Am 3. März 1902 beschloss der Vorstand der Gesellschaft, ein Stifter-Archiv einzurichten, das als „wissenschaftliche Sammelstätte für die Stifter-Forschung" dienen und später zu einem „allgemeinen deutschböhmischen Dichterarchiv" erweitert werden sollte.[30] In der *Mitteilung* Nr. XVI der Gesellschaft vom Dezember 1905 wurde ein erstes Verzeichnis des Archivs veröffentlicht, das die einzelnen Werke aufzählt und genau angibt, ob es sich um Originalblätter oder Abschriften handelt.[31] Ein zweites Verzeichnis wurde erst 50 Jahre später von Alois Hofman in der *Vierteljahresschrift* des Linzer Stifter-Instituts erstellt.[32] Dank der Unterstützung verschiedener Spender und Stifterfreunde konnte das Archiv in kurzer Zeit zur wichtigsten Sammelstätte der Stifter-Manuskripte ausgebaut werden.[33] Es erhielt von der Witwe Gustav Heckenasts die Briefe, die Stifter an ihn gerichtet hatte, und das Manuskript der *Mappe meines Urgroßvaters*. Unterstützt wurde es u. a. auch von Prof. Dr. Adalbert Horcicka und Freiherrn Karl Bachofen von Echt, beide aus Wien, sowie dem Berliner Verlagsbuchhändler Ludwig Löffler, dem Grazer Schriftsteller Peter Rosegger und der „Statthaltereiratswitwe" Francisca von Fritsch.
Bereits 1901, vier Jahre vor Stifters 100. Geburtstag, erschienen die von Adalbert Horcicka herausgegebenen *Vermischten Schriften. Erste Abtheilung*[34] als Band XIV der geplanten kritischen Gesamtausgabe. Der von August Sauer selbst herausgegebene Band I, der die Erzählungen *Der Condor, Das Haidedorf, Feldblumen* und *Der Hochwald* enthält, folgte 1904. Dieser Band war zugleich der 11. Band der *Bibliothek deutscher Schriftsteller aus Böhmen*.[35]

August Sauer als Stifter-Forscher

In der Einführung zu dem ersten Band der *Sämmtlichen Werke* Stifters plädiert Sauer für ein neues Stifterbild und setzt sich mit überholten Vorstellungen auseinander:

„Ein förmlicher Rattenkönig von weitverbreiteten Legenden ist zu zerstören. Es ist nicht richtig, daß Stifter eine leidenschaftslose Natur gewesen ist; es ist nicht richtig, daß Stifter von Anfang an sich als Fanatiker der Ruhe eingeführt habe, es ist nicht richtig, daß er die Natur nicht zu beseelen verstehe, ja es ist nicht einmal richtig, daß er nur das Kleine und Kleinliche zur Darstellung gebracht hat."[36]

Sauer betont stattdessen, dass Stifter eine „leidenschaftliche, eine vulkanische Natur" sei, dass in „allen seinen Werken [...] die Leidenschaft im Hintergrunde" stehe oder „ihnen zugrunde-[liege]". Er weist darauf hin, dass die „besten unter den österreichischen Dichtern der Gegenwart, Marie von Ebner-Eschenbach, Ferdinand von Saar, Peter Rosegger" Stifter als ihren „künstlerischen Ahnherrn" verehrten.[37]
Im weiteren verortet er Stifter im „Widerspiel des ‚Jungen Deutschland'" und in der „Verwandtschaft" zu Mörike, wobei er Mörike fast höher einzuschätzen scheint. Beide seien sie „tiefe Seelenforscher und doch schlechte Menschenkenner". Stifter sei „nicht geistreich und nicht witzig, nicht boshaft und nicht ironisch, nicht sarkastisch und nicht satirisch wie jene Generation [des Jungen Deutschland, P.B.], aber er verfügte nicht über so viel Humor wie der köstliche Mörike, wenn es ihm daran auch keineswegs ganz fehlte".[38] Sauer steht Stifter auch kritisch gegenüber, vor allem seinen großen Werken: „[...] seine Umständlichkeit ist die Umständlichkeit des Märchens und es war nur sein Fehler, daß er sie übertrieb und auf größere Kompositionen übertrug, die dadurch weitschweifig und schleppend wurden".[39]
Einen großen Teil seiner Einführung widmet Sauer der Auseinandersetzung mit den Schriftstellern des „Jungen Deutschland", denen er Rastlosigkeit und Unruhe vorwarf, im Gegensatz zur Ruhe und Hingabe Stifters und Mörikes. Als Exponent des „Jungen Deutschland" betrachtet er Theodor Mundt, aus dessen Buch *Madonna. Unterhaltungen mit einer Heiligen* (1835) Sauer ganze Absätze zitiert, um den Gegensatz zu Stifters Schreiben herauszuarbeiten, den er u. a. an den Gegensatzpaaren ‚Großstadt' und ‚Wald' (S. XIV), ‚Böhmerwaldklischees' und ‚Böhmerwaldleben' (S. XX), ‚Protestantismus' und ‚Katholizismus' (S. XXI) festmacht. Schließlich geht er auf Stifters Gegensatz zu Hebbel ein, die er überraschenderweise als zusammengehörig betrachtet, „wie Pol und Gegenpol. Erst vereint" gäben „sie ein vollständiges Bild der gärenden, an Gegensätzen so reichen Zeit, der sie entsprossen".[40]
Sauer erweist sich in dieser Einführung als Literaturhistoriker, der sich vehement für eine Neubewertung Stifters einsetzt und die Doppelbödigkeit seines Werkes aufzeigt, den Gegensatz zwischen äußerer Biederkeit und innerer Vulkanität, der sich als richtungsweisend für die kritische Rezeption der kommenden Jahrzehnte erwies. Zugleich kommen Sauers Vorlieben und Abneigungen deutlich zum Vorschein, seine Auseinandersetzung mit dem „Jungen Deutschland", deren Personifizierung in Theodor Mundt eine im Rahmen der Einführung unverhältnismäßige Ausführlichkeit besitzt, und Sauers Ablehnung der späteren Werke Stifters, also des *Nachsommer* und des *Witiko*, deren „Umständlichkeit" Sauer kritisiert, ohne ihre sprachliche Eigenart, ihre subtilen Stimmungsräume und Spannungszustände zu erfassen und zu würdigen. Sauer, so scheint mir, kommt über eine gewisse Annäherung nicht hinaus, er erweist sich mehr als Handwerker der Nähe denn als subtiler Interpret, der gleichwohl – oder vielleicht sogar gerade deshalb – den Apparat neuer Forschung auf beeindruckende Weise in Gang zu setzen und mit starker Hand zu leiten vermochte.

[1] Vgl. August Sauer: *Handschriftliches Verzeichnis seiner Vorlesungen und Hörer*, 1. Heft (1879-1913), Wienbibliothek, Handschriftensammlung ZPH 103, Archivbox 13/2. Rilke wird in dem Hörerverzeichnis unter Nr. 17 als Rilke René aufgeführt.

[2] Rainer Maria Rilke: Brief an August Sauer vom 11.1.1914. Zitiert nach www.rilke.de/briefe/110114.htm

[3] Vgl. ebenda.

[4] *Festschrift August Sauer.* Zum 70. Geburtstag des Gelehrten am 12. Oktober 1925. Dargebracht von seinen Freunden und Schülern R. Backmann, A. Bettelheim u. a. J.B. Metzlersche Verlagsbuchhandlung. Stuttgart 1925. Eine kurze und prägnante Darstellung liegt jetzt auch vor im Anhang des Sammelbandes *Germanistik in den böhmischen Ländern im Kontext der europäischen Wissenschaftsgeschichte (1800-1945)*, hrsg. von Milan Tvrdík und Lenka Vodrážková-Pokorná. Wuppertal 2006 (S. 185-193: „Bio- und bibliographische Porträts").

[5] *August Sauers Kulturpolitische Reden und Schriften*. Im Auftrag der Deutschen Gesellschaft der Wissenschaften und Künste für die Tschechoslowakische Republik eingeleitet und herausgegeben von Josef Pfitzner. Reichenberg (Sudetendeutscher Verlag Franz Kraus) 1928. Josef Pfitzner war Professor für Osteuropäische Geschichte an der Prager Deutschen Universität, während der Protektoratszeit stellvertretender Bürgermeister von Prag. Am 6.9.1945 wurde er öffentlich hingerichtet. Vgl. Frank Hadler/Vojtěch Šustek: *Josef Pfitzner (1901-1945). Historiker, Geschichtsprofessor und Geschichtspolitiker*. In: Monika Glettler/Alena Mišková: *Prager Professoren 1938-1948. Zwischen Wissenschaft und Politik*. Essen 2001, S. 105-135.

[6] Josef Pfitzner: *August Sauer als Kulturpolitiker*. In: Ebenda, S. V-LIII.

[7] Eine umsichtig recherchierte Darstellung der Prager Germanistik mit der Würdigung des Wirkens u. a. von August Sauer wurde jetzt vorgelegt von Lenka Vodrážková-Pokorná: *Die Prager Germanistik nach 1882. Mit besonderer Berücksichtigung des Lebenswerkes der bis 1900 an die Universität berufenen Persönlichkeiten*. Frankfurt a. M. 2007. Zum Beginn der Prager Stifterforschung vgl. Alois Hofmann: Aufbruch der Stifter-Forschung in Prag. August Sauer und sein Kreis. In: Johann Lachinger (Hg.): *Adalbert Stifter. Studien zu seiner Rezeption und Wirkung I: 1868 - 1930*. Linz 1995, S. 79 - 95.

[8] Nach der Promotion bei Karl Tomaschek im Jahre 1877 über den Lessingschüler Joachim Wilhelm von Brawe ging Sauer zu Wilhelm Scherer nach Berlin und verfasste nach seiner Rückkehr in Wien seine Habilitationsschrift über Lessings Drama *Nathan der Weise*. Vgl. Tvrdík/Vodrážková-Pokorna (Anm. 4).

[9] Brief von August Sauer an Bernhard Seuffert, 1883, zit. n. Pfitzner (Anm. 6), S. VIII.

[10] Ebenda, S. VI.

[11] Zu Hedda Sauer (1875-1953) vgl. Josef Mühlberger: *Geschichte der deutschen Literatur in Böhmen 1900-1945*. München-Wien 1981, S. 344-346; Eva Vandalová: *Hedda Sauer und Rainer Maria Rilke*. In: *Brünner Beiträge zur Germanistik und Nordistik* Bd. 18 (2004), S. 281-286; *Letzte Heimat. Ruhestätten deutschsprachiger Dichter aus Böhmen und Mähren*, hrsg. von Jozo Džambo. München 2004, S. 129-132.

[12] Vgl. *Gleiche Bilder, gleiche Worte. Deutsche, Österreicher und Tschechen in der Karikatur 1848-1948*, hrsg. von Peter Becher und Jozo Džambo. München 1997. Deutsche Karikaturen: S. 147, S. 153, S. 171; tschechische Karikaturen: S. 211, S. 212, S. 218.

[13] Pfitzner (Anm. 6), S. XVII.

[14] Ebenda, S. XLVII.

[15] Ebenda, S. LI.

[16] Vgl. die Zeitungsmeldung: Prof. Dr. August Sauer gestorben. In: *Prager Tagblatt*, 18.9.1926, S. 3.

[17] *Sauer und die Tschechen*. Von Prof. Dr. Otakar Fischer. In: *Prager Tagblatt*, 18.9.1926, S. 3.

[18] Zeitungsmeldung: *Prof. Dr. August Sauer gestorben*. Ebenda, S. 3.

[19] Vgl. Brief von Howard J. Rogers vom 3.6.1905 an August Sauer. Wienbibliothek, Handschriftensammlung ZPH 103, Archivbox 13/1.

[20] Vgl. August Sauer: *Handschriftliche Verzeichnisse seiner Vorlesungen und Hörer*, 1. Heft (1879-1913), 2. Heft (1913-1926), Wienbibliothek, Handschriftensammlung ZPH 103, Archivbox 13/2.

[21] Vgl. Michael Neumüller: *Überblick über die Geschichte der Gesellschaft zur Förderung deutscher Wissenschaft, Kunst und Literatur in Böhmen bzw. der Deutschen Akademie der Wissenschaften in Prag von der Gründung bis zum Jahr 1945*. In: *Die Gesellschaft zur Förderung deutscher Wissenschaft, Kunst und Literatur in Böhmen*

(Deutsche Akademie der Wissenschaften in Prag). Materialien zu ihrer Geschichte und Inventar des Archivbestands, hrsg. von Alena Mišková und Michael Neumüller. Archiv Akademie věd České republiky. Praha 1994, S. 35-50, hier S. 35, Fußnote 1.

[22] Vgl. ebenda, S. 40. Nach 1918 erhielt sie den Namen „Gesellschaft der Wissenschaften und Künste für die Tschechoslowakische Republik".

[23] Vgl. ebenda, S. 36.

[24] Vgl. ebenda, S. 46-50.

[25] Mit dem Ablauf der Schutzfrist erlosch auch das „alleinige Verlagsrecht des Hauses C. F. Amelang in Leipzig, des Nachfolgers von Gustav Heckenast", wie Jozo Džambo schreibt. Vgl. Jozo Džambo: *Verjüngung oder Beisetzung in der Fürstengruft der Literaturgeschichte? Wie Adalbert Stifters 100. Geburtstag im Jahr 1905 begangen wurde*. In: *Stifter Jahrbuch* N. F. 20 (2006), S. 117-155, hier S. 119. Džambo hat in diesem Beitrag die Folgen der Aufhebung der Schutzfrist und den Kontext der Jubiläumsfeiern von 1905 anschaulich herausgearbeitet.

[26] August Sauer: *Zur Einführung*. In: Adalbert Stifter: *Sämtliche Werke*. Bd. 1: *Studien. 1. Band*, hrsg. von August Sauer. Prag 1904. Zitiert nach der Zweiten Auflage, neu bearbeitet von Otto Pouzar und Gustav Wilhelm. Reichenberg 1940. Reprint (Verlag Gerstenberg), Hildesheim 1972, S. XXVI.

[27] Vgl. ebenda, S. XXVI. Der Volkskundler Adolf Hauffen (1863-1930), der Schriftsteller und Literaturwissenschaftler Alfred Klaar (1848-1927) und der Kunsthistoriker Josef Neuwirth (1855-1934) waren wie Sauer Professoren an der Deutschen Universität Prag. Vgl. Mišková und Neumüller (Anm. 21), S. 163, S. 209 und S. 280.

[28] Vgl. Sauer (Anm. 26), S. XXVI.

[29] Ebenda, S. XXVI.

[30] Adolf Hauffen: *Einführung*. In: *Deutsche Arbeit. Monatsschrift für das geistige Leben in Böhmen* 4 (1905) H. 12, S. 761.

[31] Vgl. *Mitteilung* Nr. XVI der Gesellschaft zur Förderung deutscher Wissenschaft, Kunst und Literatur in Böhmen. Prag 1905, S. 5-8.

[32] Vgl. Alois Hofman: *Bericht über das Prager Adalbert-Stifter-Archiv*. In: *VASILO* 33 (1984) F. 3/4, S. 109-113, hier S. 111.

[33] Heute haben neben dem Prager Stifterarchiv auch die Bayerische Staatsbibliothek in München und die Martin-Bodmer-Stiftung in Genf größere Stifternachlässe.

[34] Adalbert Stifter: *Sämmtliche Werke. Vierzehnter Band. Vermischte Schriften. Erste Abtheilung*, hrsg. von Adalbert Horcicka. Prag 1901.

[35] Vgl. *Mitteilung* Nr. XVI (Anm. 31), S. 3.

[36] Sauer (Anm. 26), S. X-XI.

[37] Ebenda, S. VIII.

[38] Ebenda, S. XIII.

[39] Ebenda, S. XIII.

[40] Ebenda, S. XXIII.

ASPEKTE DER STIFTER-REZEPTION BEI JOHANNES URZIDIL

GERHARD TRAPP

1969, in seinem vorletzten Lebensjahr, veröffentlichte Johannes Urzidil in der Wiener Zeitschrift *Literatur und Kritik* seine Betrachtung *Stifter aus drei Distanzen.*[1] Gemeint sind topografische Distanzen unterschiedlicher Entfernung: erstens die unmittelbare Nähe zu Stifter, die Urzidil im Böhmerwald selbst erlebte, den er nicht nur als Tourist kannte, denn er verbrachte in Josefstal bei Glöckelberg die Sommermonate von 1934-1937, zweitens seine gesamte Lebensspanne in Prag bis 1939 und schließlich das Exil in England und New York bis zu seinem Tod 1970. „In meinem schmalen Fluchtgepäck hatte ich die ‚Studien', den ‚Nachsommer' und den ‚Witiko' in der Erstausgabe mitgerettet"[2], lässt Urzidil uns wissen und resümiert zusammenfassend die Bedeutung, die Stifter für ihn hatte:

„Daß in dieser stürmischen und auch von inneren und äußeren Gefahren für mich verbundenen Zeit, Stifter immer mit mir blieb und ich mit ihm, dass er unter keinen Umständen verblasste, dass er sich überall bewährte, darin liegt seine tiefe Macht und Herrlichkeit, die ihn meinen anderen Begleitern zur Seite stellt, als da waren: die Heilige Schrift, Homer und Goethe."[3]

Um Umfang und Begrenzung seiner Stifter-Rezeption zu verdeutlichen, werfen wir einen ersten Blick auf deren zeitlichen Verlauf. Die erste von 5 Veröffentlichungen zu Stifter unter dem Titel *Böhmens Landschaft bei Goethe und Stifter* erscheint in der Sonntagsbeilage der Prager *Deutschen Zeitung Bohemia* am 24. Februar 1935, es folgt im selben Jahr im *Prager Tagblatt* die Untersuchung *Adalbert Stifters zweites Gesicht.*[4]
Aus diesem, im Vergleich mit anderen Veröffentlichungen Urzidils zu Stifter ungewöhnlichen und abgelegenen Text hier eine gekürzte Passage, die in zeitgebundener Sprache ausführt:

„Stifter ist keine Lektüre für Kinder und Stifters Leben ist bis zu seinem grauenhaften Selbstmord von tragischer Dämonie durchrüttelt. Im innersten Grund des bieder-fachlichen Schulmanns und Kakteenzüchters, hinter dem ausgeglichenen Blick der nachsommerlichen Spitzweggestalt wühlten die Leidenschaften, hob sich gespenstisch der Wahnsinn [...] Wenn er malte, kamen meistens Nachtstücke oder heroische Landschaften heraus. Die erschütternde Totenmaske im Oberplaner Museum zeigt nicht das zusammengefaßte, glatte, gesicherte Antlitz eines bürgerlichen Ethos [...] Der Wahnsinn Stifters war immer im geheimen mit ihm. Nur daß er nicht wußte, wie dünn die Wand sei, die ihn vom Wahnsinn trennte, mochte ihn zeitlebens behindern, sie zu durchstoßen. Am Ende aber vollzog sich mit ihm doch jene Flucht des genialen Menschen aus den Wänden der Wirklichkeit in die unbegrenzte Chaotik des Wahnsinns. Man verheimlichte diesen letzten Durchbruch, denn er schien den Oberflächlern als Widerspruch zur sittlichen Ordnung, Katholizität, bürgerlichen Gleichgewichtslage, die sie aus Stifter folgerten. So blieb durch lange Zeit sein Schicksal und sein Werk in einer gemächlichen Zone volkstümlichen Erzählertums und didaktischer Erziehlichkeit aufbewahrt."

Es folgen 1937 *Stifter, der Epiker der Humanität*[5], dann die Rezension der eine Epoche der Stifter-Forschung eröffnenden Biografie von Urban Roedl, *Adalbert Stifter*[6], sowie unter dem Titel *Adalbert Stifters Humanität*[7] die letzte Veröffentlichung zu Stifter vor Urzidils Emigration im Mai 1939.

Angesichts von über 40 Beiträgen Urzidils zur Goethe-Philologie im gleichen Zeitraum bis 1939, zentriert natürlich um seine 1932 erfolgte Erstveröffentlichung des Bandes *Goethe in Böhmen* [8], wird man konstatieren dürfen, dass Urzidils Bedürfnis, sich bei aller Liebe selbst zu Stifter publizistisch zu äußern, doch begrenzt war. Die Frage, warum er es zu diesem Zeitpunkt überhaupt tat, findet m. E. überwiegend ihre Antwort in der politischen Entwicklung seit 1933. In der Person Stifters erfasst Urzidil den Humanisten, der durch seine Herkunft aus dem südböhmischen Oberplan wie durch sein dichterisches Werk, hier in erster Linie dem *Witiko*, ihm in hervorragender Weise prädestiniert schien, sowohl als einheitsstiftende Identifikationsfigur für die Deutschen zu wirken, wie darüber hinaus als Wegweiser bei den politischen Streitigkeiten zwischen Tschechen und Deutschen. In umgreifender, historisch gesprochen europäischer Dimension, sieht er in Stifter als dem Verkünder einer sich selbst regulierenden, religiös fundierten ‚natura naturata', in welcher der Mensch eingebettet ist, seine Sprengkraft als Gegner jeder willkürlich-gewaltsamen sozialen oder politischen Veränderung.
Im August 1933 – darauf hat Václav Maidl in einem anderen Zusammenhang aufmerksam gemacht[9] – übergibt Urzidil dem Böhmerwaldmuseum in Oberplan seinen jüngst erschienenen *Goethe in Böhmen* mit folgender Widmung: „Dem Böhmerwaldmuseum in Oberplan in Dankbarkeit für das tiefe und schöne Erlebnis des Böhmerwalds und als bescheidenes Opfer auf dem Altar des größten Sudetendeutschen in der Welt der Literatur, Adalbert Stifter. Gewidmet vom Verfasser Johannes Urzidil, Prag, August 1933." Urzidil hat, gerade bei solchen öffentlichen Äußerungen, seine Worte sehr bewusst gesetzt. Wenn er hier also Stifter als „Sudetendeutschen" bezeichnet, ein Begriff, den er sonst weitgehend meidet und der bei Stifter als ‚terminus avant la lettre' anachronistisch ist, so tut er das hier in der Absicht, im Oberplaner Museum jene Klientel der Besucher miteinzubeziehen, die, Urzidils Buch vor Augen, sich selbst als Sudetendeutsche definieren. Der größte „sudetendeutsche" Dichter soll auch für sie die stärkste Integrationsfigur sein.[10] In dem 1937 erschienenen Aufsatz *Adalbert Stifters Humanität* kehrt Urzidil zu der seinem Selbstverständnis entsprechenden Terminologie zurück, wenn er schreibt:

„Stifters innige Verknüpfung mit Böhmen und der tschechischen Geschichte, das tiefe Verständnis, das gerade dieser größte Autor der Deutschen Böhmens für die tschechische Problematik an den Tag legte, hat einen deutlichen Bezug zu seinem Goetheanismus und den Herderschen Ideen, die ihn befruchteten [...] Aber er blieb jedem vagen Begriff eines allgemeinen und undifferenzierten nationalistischen Deutschtums abhold, wußte sich als Böhme und in weiterem Belang als Deutscher des österreichischen Lebenskreises, in dem er ebenso wie etwa Grillparzer oder Nestroy oder Raimund, einen besonderen und charakteristischen Typus verwirklichte."[11]

Wir verlassen die eingangs genannten ersten beiden „Distanzen" mit einem Zitat aus demselben Text, woraus die primär politische Motivation Urzidils nochmals hervorgeht: „Das Vermächtnis Stifterscher Humanität zu pflegen, ist die große Kulturaufgabe der Deutschen in der Tschechoslowakei, einer Humanität, [...] die in unserer Zeit kein verwaistes Erbe bleiben sollte. Ihr Geist allein vermag beide Völker zu gegenseitigem Erkennen und Verstehen zu leiten."[12]

Es gehört in diesen Zusammenhang, dass Urzidil später von New York aus zwischen 1961 und 1965 mit Max Stefl (1888-1973), dem in Augsburg lebenden Stifterkenner und Herausgeber, in einem persönlich gehaltenen Briefwechsel stand und ihm einige seiner Neuerscheinungen zuschickte. Er widmete sie dem entschiedenen Gegner des Nationalsozialismus mit ausdrücklicher Hochachtung für dessen Haltung im 3. Reich. Wahrscheinlich hatte Urzidil ihn auf einer Deutschlandreise im Herbst 1962 auch persönlich kennengelernt.[13]

Mit der dritten Distanz, d.h. den restlichen Jahren seiner Lebenszeit im Exil, kurz in England, seit 1941 in New York, beobachten wir eine neue Qualität in Urzidils Stifter-Rezeption. Hierbei nimmt die Erzählung *Der Trauermantel* eine Brückenfunktion ein. Sie erschien 1945 in New York und gibt im Impressum Auskunft über ihre Genese:

„Der Trauermantel, eine Erzählung von Johannes Urzidil, entstand in der Heimatlandschaft Adalbert Stifters, dem Böhmerwald zwischen Oberplan und dem Dreisesselberge. Die vorliegende endgiltige [sic!] Fassung wurde im Sommer 1940 in dem Walddorfe Viney Hill der englischen Grafschaft Gloucestershire im Hause Church View niedergeschrieben."

Und Urzidil selbst stellt seinem umfänglichen Text folgenden Hinweis voran: „Adalbert Stifters Kindheit und Jugend zu erzählen, ward im Folgenden versucht: wie Natur und Schicksal sich selbst einen Dichter zubereiteten, sein frühes Wachstum und die zarten Ansätze seiner Entfaltung, die Leuchtkraft des Leids und die Bitternis des Glücks." Inwieweit dieser Versuch mehr oder weniger gelungen ist, will ich an dieser Stelle nicht darstellen, da hierüber eine kompetente Untersuchung von Johannes John vorliegt, der im übrigen bei Urzidil auch keine unmittelbare Stifter-Nachfolge erkennt.[14] Es gilt nur festzuhalten, dass Stifters Leben und Werk hier erstmals von Urzidil erzählerisch-fiktional behandelt wird, dass hier, abgesehen von sehr wenigen vor der Emigration liegenden kleineren Prosatexten, Urzidil sich erstmals als Erzähler konstituiert. Auslöser für diese Entwicklung war die zweifellos exiltypische Erfahrung von Fremdheit, der Urzidil durch die literarische Vergewisserung von Erinnerungsorten mit ihrem jeweiligen Personal und Lebensverhältnissen etwas Bleibendes, ihn selbst Bewahrendes entgegenstellen wollte. Dies gilt für einen Großteil seiner Erzählungen, die im Böhmen der Vorkriegszeit angesiedelt sind. Davon auszunehmen sind jene, die in den USA spielen und die eine bisweilen retardierende Identifikation mit dem amerikanischen „way of life" erkennen lassen. Man wird diesen Prozeß seiner Bewusstseinsbildung bis hin zu seinem Tod 1970 als offen ansehen können. Dass Urzidils Erinnerungsarbeit im *Trauermantel* sich in solch intensiver Weise Stifter zuwendet, bezeugt seine Liebe zu seinem Werk und entstand zweifellos auch aus dem Impuls seinen Lesern im zertrümmerten Europa oder anderen Emigranten in der Diaspora ein Zeichen der Hoffnung zu geben.

1956 erscheint der erste Sammelband *Die verlorene Geliebte* mit Erzählungen, die Urzidil schnell Anerkennung bringen. Hierin enthalten sind die Erzählungen *Grenzland* und *Wo das Tal endet*, die zusammen mit dem *Trauermantel* die engste Nachbarschaft zu Stifter erkennen lassen. Hierin gelangt Urzidil dank seines mimetischen Vermögens zu einer geradezu auratischen Verdichtung seiner Darstellung. Das aus großer Ferne wieder evozierte Bild, folgen wir einer Formulierung des Stifter-Lesers Walter Benjamin, schlägt die Augen auf. In beiden Texten ist ein kulturelles Gedächtnis des Böhmerwalds bewahrt, das ebenso Prag wie andere Orte in Urzidils Gesamtwerk einschließt. In beiden Erzählungen werden wir Zeuge einer individuellen Katastrophe in der Figur Ottis in *Grenzland* wie mit einer kollektiven Katastrophe in *Wo das Tal endet.* Beide Male zerstören Menschen durch Gewalthandlungen sich selbst oder andere und zugleich den Schutzraum einer sie im Stifterschen Sinne bergenden Natur.[15]
Bleiben wir noch einen Augenblick bei der Erzählung *Grenzland*, zu deren Niederschrift in den USA Urzidil uns an anderer Stelle mitteilt:

„Eines Morgens sagte ich meiner Frau: „Ich spüre den heftigen Wunsch, das Böhmerwalddorf Glöckelberg und die Landschaft rundum zu beschreiben". Worauf ich mich niedersetzte und erst eine Weile lang in mich hinein nach einem Wort lauschte. Dann nach einem Satz, der aus dem Wort stieg [...] Noch an jenem Vormittag hatte ich die Erzählung „Grenzland" improvisiert, so wie sie in meinem Buch „Die verlorene Geliebte" steht. Freilich dauerte das Ganze in Wirklichkeit nicht bloß einen kurzen Vormittag, sondern bestand in mir schon seit zwanzig Jahren, aber nicht als Absicht oder Planung, sondern wie ein wachsender Kristall. Er war in mir aus Böhmen vor den Einbrüchen der Despotie nach England geflohen, setzte mit mir über nach Amerika [...]."[16]

Die Erzählung spielt auf dem ärmlichen Anwesen des Häuslers „Stifter Toni", der nicht wusste, „wie und ob er überhaupt mit der Familie jenes großen Adalbert verwandt war."[17] Er ist der Vater der 12-jährigen Otti, mit der der Witwer allein und abgeschieden lebt. Mehrfach beschreibt Urzidil die Welt, in der das Mädchen aufwächst:

„Zu seinem [des Vaters] Reich gehörte der Wald mit seiner Tausendfältigkeit an Beeren, Pilzen, Fallholz, Gras und gelegentlich – jetzt darf man das ja sagen – einem Hasen. Es gehörte dazu ein schwatzender Forellenbach, der den Schwemmkanal unterquerte und weiterwanderte zur Moldausenke. Eine Fernsicht gehörte dazu gegen die sanfteren Höhen, die in das weite böhmische Land hineinglitten. Und der Himmel gehörte dazu mit seinen Wolkenversammlungen und Wetterveranstaltungen, mit Weiß oder Grau an gleichmäßigen Tagen, Pechschwarz und Löwenzahngelb, wenn ein Sturm hochzog, Vergißmeinnichtblau oder Glockenblau oder Apfelgrün oder abendlich Hahnenkammrot. Und die hunderttausende Geräusche und Getöne gehörten dazu, die der Wind, das Wasser, die Tiere und auch noch manch anderes geheimnisreich Bewegte unaufhörlich in allen Varianten und Tonlagen hervorbrachten."[18]

Es sind nicht nur solche Beschreibungen, die den Leser in eine Stifter-Atmosphäre eintauchen lassen, es ist ebenso sehr die zentrale, aus authentischen wie fiktionalen Elementen gestaltete Hauptfigur der Otti, die man eng mit Stifters braunem Mädchen aus *Katzensilber* parallelisieren kann. Bei beiden finden wir eine fast symbiotische Einheit mit der Natur, ihr rätselhaft elbisches Wahrnehmungsvermögen bleibt der Umwelt unverständlich. Otti wird in einen Zivilisationsprozess gezwungen, der sie schließlich zerstört. Beide können sich sprachlich nur auf sehr ungewöhnliche Weise artikulieren, Urzidil rückt Ottis Stammeln in die Zone des „Zungenredens", der Glossolalie, im frühen Christentum als charismatische Gabe verstanden. Im einem „Grenzland" bewegen wir uns nicht nur in geographischer, sondern eben auch in psychologischer Hinsicht. Dass Otti sich schließlich im Plöckensteinsee, stiftersche Ikone ganz besonderer Art, ertränkt, mag der Leser als symbolische Überfrachtung registrieren. Die französische Germanistin Isabelle Ruiz, die sich sehr intensiv mit Urzidil beschäftigt, hat in einer Untersuchung der Kinderfiguren in seinem Werk den Tod Ottis jedoch in eine historische Dimension gestellt: „Urzidil zeichnet sein Land unter den Zügen eines Kindes: wie das multikulturelle Böhmen, das durch die nationalen Kämpfe ausgelöscht wurde, so überlebt Otti den Verlust der Einheit nicht."[19] Weitere Linien, die hier nur genannt werden können, lassen sich zu Ditha aus Stifters *Abdias* ziehen, zu Goethes Ottilie aus *Die Wahlverwandtschaften* oder zu Mignon in *Wilhelm Meisters Lehrjahre*.

Auch in der Erzählung *Wo das Tal endet*[20] – der Titel oszilliert zwischen den Bedeutungen der topografisch korrekten Angabe des Ortes Hirschbergen (Jeleni), dem einer Sackgasse oder darin, dass das Tal stirbt – , auch hier gestaltet Urzidil in dem Förster Jelen (tschechisch: Hirsch) eine in typischer Weise verspiegelte Figur auf dem Hintergrund des authentischen Försters Wilhelm Hirsch, der in seiner klugen und realitätsnahen Humanität neben dem Obristen in Stifters *Die Mappe meines Urgroßvaters* stehen könnte, eine Lektüre, der sich der Icherzähler in Hirschbergen ausdrücklich unterzieht.

Im späteren Werk Urzidils mit über 50 Erzählungen wird der Böhmerwald nicht mehr thematisiert, wiewohl sich aber häufig Zitate und Anspielungen auf Stifter finden.[21] Die Literaturkritik verortete Urzidil in der Folge fast unisono als stark von Stifter und Kafka abkünftig, wobei es durchaus ehrenvoll war, wenn die beiden Pole mitteleuropäischer Literatur als Rettungsring für den unbekannten Autor Urzidil dienen mussten, den unsichere Rezensenten auswarfen. Urzidil selbst verwahrte sich stets gegen diese Zuordnung, wie u. a. aus einem Brief an Kurt Krolop vom 25. März 1965 hervorgeht:

„Ich möchte wirklich gern wissen, inwiefern die erzählende Prosa Kafkas mit der Brods oder Winders oder Weissens oder Ungars oder mit meiner eigenen anders verbunden ist als durch mehr oder weniger äußere Phänomene. Mich z. B. mit Kafka in einem Atem zu nennen oder mich von ihm abhängig zu erklären, ist vollkommen oberflächlich, ebenso wie es oberflächlich ist, mich jede Weile mit Stifter zu vergleichen, bloß weil etliche meiner Erzählungen im Böhmerwald spielen."[22]

Urzidils Wahrnehmung der Natur, häufig manifest im Bild des Waldes, bestätigt in aller Regel ihre tragende und bergende Funktion für die menschliche Existenz. In einer tiefen Lebenskrise 1934, als er seine Position als Pressebeirat an der Deutschen Gesandtschaft in Prag aus politischen Gründen verloren hatte und beruflich vor dem Nichts stand, wandert er im Sommer wieder durch den geliebten Böhmerwald. Im *Prager Tagblatt* vom 30.09.1934 veröffentlicht er das Gedicht *Toter Wald*, das 1957 in der Sammlung *Die Memnonsäule* wieder abgedruckt wird, allerdings unter dem Titel der ersten Zeile *Ich gehe durch den alten Wald.*[23] (Die Frage nach der lyrischen Qualität dieses Gedichts wird in diesem Zusammenhang nicht gestellt).

Toter Wald

Ich gehe durch den alten Wald
Die Äste ragen starr und kalt.
Ich gehe. Meine Spur wird bald
Zerlöst, zerweht von Sturmgewalt.

Der Habicht groß hoch oben kreist.
Der Wolkenchor im Blitz zerreißt.
Wegweiser endlos weiter weist,
wo niemand ist, wo niemand heißt.

Ich gehe durch das alte Moor,
leg meine Lipp an Gottes Ohr,
daß er mich höre, noch bevor
ich mich in Nichts, in Nichts verlor.

So dunkel rauscht das Leben hier.
Wer kann die Hand jetzt geben mir?
Fiel nicht ein Blatt leicht eben hier?
Ging nicht ein Schritt noch neben mir?

Hier wird das Ich nicht mehr geborgen, verliert sich vielmehr im Nichts, der Wald ist nicht länger Ort des Verweilens oder Chiffre einer Transzendenz. Ob Gott noch erreichbar ist, bleibt offen. Im *Nachwort* zu einer tschechischen Sammlung von Urzidils Gedichten und Prosatexten zum Böhmerwald beschäftigt sich Martin Gaži (Budweis) u. a. eingehend mit Urzidils Bild des Waldes und vergleicht es mit dem anderer sudetendeutscher Autoren.[24]

Trotz gemeinsamer Schnittmengen hinsichtlich des Naturverständnisses, der Stellung des Menschen in ihr oder in der Wertschätzung des alten böhmischen Landespatriotismus wird die These einer Nachfolge Stifters bei Urzidil gänzlich unhaltbar, wenn man einen Blick auf die sprachliche Realisierung bei beiden Autoren wirft. Stifters Stilprinzipien der Redundanz, einer extremen Zeitdehnung, der Variation oder Reihung, einer entpersönlichten und formalisierten Dialogführung, allesamt gekennzeichnet durch ein ihm ganz eigentümliches sprachliches Reduktionsverfahren, das sich vor allem im Spätwerk liturgischen Texten annähert, zieht aus diesen Elementen, zu denen freilich auch die stupende Präzision auf der Beschreibungsebene hinzukommt, seine außerordentliche Wirkung.[25] Abgesehen von dem hier zuletzt Genannten trifft nichts davon auf Urzidil zu. Im Gegenteil: Urzidils Prosa ist sehr variantenreich instrumentiert, der auktoriale Erzähler baut sie in subtilen und weitgespannten Hypotaxen, seine dramatischen oder reflektierenden Texte stellen seine Figuren in die Welt ihrer Emotionen. Er kann aus einem geradezu barocken Überfluß schöpfen, der sein Erzählen kennzeichnet.[26] Es sei mir hier eine ungeschützt subjektive Empfindung erlaubt: Bei Urzidil höre ich immer Mozart, bei Stifter fehlt mir ein ebenso eindeutiges musikalisches Äquivalent.

Ein Blick auf die Persönlichkeitsstrukturen beider Dichter, die ich hier nur in großer Verkürzung andeuten kann, ergibt tiefgreifende Differenzen: Stifters gesamtes Leben, obwohl sozial zumindest erträglich ausgestattet, ist gekennzeichnet durch seine tiefe Depression und Introvertiertheit, wie es aus dem immer wieder zitierten Brief an Heckenast vom 13.5.1854 hervorgeht: „Ich gebe den Schmerz nicht her, weil ich sonst das Göttliche hergeben müßte." Hinzu kommt die bekannte Reihe von persönlichen Unglücksfällen und die Problematik seiner Liebesbeziehungen, die seinen Lebenslauf von Kindheit an begleiten, das katastrophale Scheitern des Pädagogen mit seiner Ziehtochter Juliana Mohaupt. Aus all dem leitet man heute den Entwurfscharakter von großen Teilen seines Werks ab, die von allen Störfaktoren der Realität gereinigte Utopie etwa des Nachsommer, wo er das Wunsch- und Gegenbild seiner eigenen bedrückten Erfahrungswelt, in einer eigens entwickelten Kunstsprache der absoluten Reinheit entwirft, einer Sprache, die genau und vorsichtig jeden Schritt des Denkens und Handelns abbildet, wie es Wolfgang Frühwald sinngemäß in seinem Vortrag „Der Schmerz und die Natur oder Der Glaube Adalbert Stifters" am 4. Oktober 2005 in der Katholischen Akademie München formuliert hat. Hiermit korreliert die ästhetische Kategorie des Kunstschönen in höchst sublimierter Form, wofür das Marmorbild stehen kann.

In Urzidil treffen wir geradezu auf den Antipoden: ein seiner selbst sicherer Mann, emotional stabil, lebensbejahend und gesellig, weltläufig und dialogfähig auch im erotischen Erleben, dabei aber zugleich reflektierend und kritisch, ein gläubiger Skeptiker. Auch seine Biografie war nach 1933 objektiv bedroht und im späteren Exil ökonomisch schwer belastet. Urzidil erweist sich aber auch hier immer wieder als handlungsfähig im Nachvollzug von Goethes *Maximen und Reflexionen*, die er in Lebenspraxis umzusetzen versucht. Häufig finden wir Hinweise, wo er als Identifikationsfigur Odysseus angibt, den nie resignierenden. In seinem erzählerischen Werk, worin er in starkem Maße biografische und autobiografische Elemente verarbeitet, die immer in konkreten, oft authentischen Bezügen stehen, lässt sich ein symbolisch vermittelter Realismus sui generis erkennen, der ästhetische und sprachliche Möglichkeiten wie Witz, Ironie, Komik, Drastik oder das Groteske in Darstellungsformen entfaltet, die durchaus der literarischen Moderne angehören.

Würde man es unternehmen, den vielleicht inkommensurablen literarischen Vergleich von Stifters *Nachsommer* und Urzidils amerikanischem Epos *Das große Halleluja* anzustellen, die beide sich auch als Erziehungsromane lesen lassen, so fände man bei Urzidil eben auch die Gegenpositionen in aller Deutlichkeit. Nicht Entsagung, sondern das Ergreifen eines brodelnden Lebens in ganz unterschiedlichen Gesellschaftsschichten und an verschiedenen Orten in den USA.

Nicht Statik, sondern Bewegung. Die zentrale Figur im Hintergrund, der Exilant Josephus Weseritz, ein vieldeutiges Pseudonym für Urzidil selbst, findet handelnd ebenso sehr wie reflektierend zu einer neuen Identität. Der 482 Seiten starke Roman endet bezeichnenderweise mit der Geburt eines ersehnten Knaben genau zum Zeitpunkt der ersten Landung auf dem Mond, die dann am 21. Juli 1969, zehn Jahre nach Erscheinen des Romans, erfolgte. Das Leben, das „Große Halleluja" in Händels Oratorium, setzt sich trotz aller politischen und moralischen Katastrophen unabsehbar fort, unendlich weit entfernt von Heinrich Drendorfs Trias „Einfachheit, Halt und Bedeutung", mit welcher der *Nachsommer* schließt.

Urzidil steht somit nicht in jener so bedeutsamen Reihe österreichischer Autoren, denen, beginnend mit Stifter, ihr unglückliches Bewusstsein zum movens ihres Schreibens wird, sondern in der Gruppe seiner Bewunderer, die sich bis in unsere Tage stets erweitert und von denen ich aus jüngster deutscher Provenienz hier nur die Namen Brigitte Kronauer[27] und Arnold Stadler nennen will, dessen zum Stifterjubiläum 2005 erschienenes Buch eine temperamentvolle Hommage an Stifter ist, mit dem er sich ebenso anerkennend wie kritisch auf gleicher Augenhöhe von Künstler zu Künstler auseinandersetzt.[28]

Ich überlasse gern dem schon früher erwähnten Johannes John das Schlußwort, das sich weitgehend mit meinen Ergebnissen deckt:

„[...] so konventionell und traditionell das narrative Instrumentarium ist, so wenig läßt sich das Werk und die Person Urzidils auf eine epigonale Stifter-Nachfolge reduzieren. Wo ein waches, die Zäsuren zeit- wie lebensgeschichtlicher Art stets reflektierendes politisches Bewußtsein nicht nur geographische Distanzen schafft, bewahrt ihn auf genuin künstlerischem Gebiet seine Kenntnis und Wertschätzung der literarischen Moderne vor den Gefahren, Stifter als Fluchtpunkt, Modell oder regressive Utopie zu überhöhen und damit zu ideologisieren. In den genannten Erzählungen fungiert dabei der Ich-Erzähler geradezu als Garant des Sentimentalischen: Als ein Landvermesser im doppelten Sinne erkundet und beschreibt er den ihm wie Stifter gemeinsamen Lebensraum und berichtet dabei doch zugleich auch immer von den unaufhebbaren Differenzerfahrungen zwischen dem Einst und Jetzt."[29]

1 Johannes Urzidil: *Stifter aus drei Distanzen*. In: *Literatur und Kritik* Nr. 31 (1969), S. 34-47. Der Aufsatz stellt eine veränderte Fassung eines gleichnamigen Textes dar, der schon 1957 in der *Vierteljahresschrift des Adalbert Stifter-Institutes (VASILO)*, Jg. 6, Folge 3/4, S. 87-99 erschienen war.

2 Ebenda, S. 36.

3 Ebenda, S. 34-35.

4 Johannes Urzidil: *Adalbert Stifters zweites Gesicht*. In: *Prager Tagblatt*, 28.9.1935. Wiederveröffentlicht und in tschechischer Übersetzung in: *Adalbert Stifter. Paměti mého pradědečka/Die Mappe meines Urgroßvaters*, hrsg. von Gerhard Waschler u. a. Horní Plána 2002, S. 316-321.

5 Johannes Urzidil: *Stifter, der Epiker der Humanität*. In: *Basler Nationalzeitung*, 10.1.1937.

6 Johannes Urzidil: *Ein Stifter-Buch*. In: *Bund* (Bern), Nr. 3, 31.1.1937.

7 Johannes Urzidil: *Adalbert Stifters Humanität*. In: *Prager Rundschau* Jg. 7 (1937) Nr. 4, S. 282-289.

8 Johannes Urzidil: *Goethe in Böhmen*. Wien-Leipzig 1932.

9 Leserbrief von Václav Maidl [in tschech. Sprache]. In: *Host*, Nr. 3, Brno 2001, S. 16.

10 Vgl. hierzu auch Peter Becher: *„Unser sudetendeutscher Klassiker...". Aspekte der deutschböhmischen Stifterrezeption 1918-1938*. In: *brücken. Germanistisches Jahrbuch* N. F. 7 (1999), S. 167-186.

11 Urzidil (Anm. 7), S. 283f.

12 Ebenda, S. 288.

[13] Zu Max Stefl vgl. *Stifter-Kontexte. Zum Gebrauchswert eines Klassikers*. Begleitband zur gleichnamigen Ausstellung. Adalbert Stifter Verein, München 2005, S. 107-112 („Der Stifter-Stefl").

[14] Johannes John: *Adalbert Stifter in Erzählungen von Johannes Urzidil*. In: *Stifter-Studien. Ein Festgeschenk für Wolfgang Frühwald zum 65. Geburtstag*, hrsg. von Walter Hettche, Johannes John und Sibylle von Steinsdorff. Tübingen 2000, S. 217-243.

[15] Hierzu ausführlicher: Gerhard Trapp: *Chronik und Menetekel. Zu J. Urzidils Erzählungen aus dem Böhmerwald*. In: *VASILO* (1992) F. 1/2, S. 51-62.

[16] Johannes Urzidil: *Einfall und Planung im literarischen Schaffen*. In: *Blick in die Werkstatt. Festschrift für K. H. Waggerl*. Salzburg 1967, S. 13-24, hier S. 22.

[17] Johannes Urzidil: *Grenzland*. In: Ders.: *Die verlorene Geliebte*. München 1956, S. 183.

[18] Ebenda, S. 184.

[19] Isabelle Ruiz: *La valeur mythique et anthropologique de l'enfance dans l'œuvre de Johannes Urzidil*. In: *Le Culte de la jeunesse et de l'enfance en Allemagne 1870-1933*, hrsg. von Marc Cluet. Presses Universitaires, Rennes 2003, S. 309-321, hier S. 317.

[20] Johannes Urzidil: *Wo das Tal endet*. In: Ders.: *Die verlorene Geliebte*. München 1956, S. 205-226.

[21] Vgl. Gerhard Trapp: *Johannes Urzidil: Stifter im Gepäck*. In: *Jahrbuch des Adalbert-Stifter-Institutes* Bd. 7/8 (Adalbert Stifter 2000. *„Grenzüberschreitungen"*) (2000/2001), S. 83-90.

[22] Prof. Kurt Krolop (Prag) überließ mir freundlicherweise den Brief.

[23] Johannes Urzidil: *Ich gehe durch den alten Wald*. In: *Die Memnonsäule*, Wien 1957 (= *Neue Dichtung aus Österreich* Bd. 30), S. 8.

[24] Johannes Urzidil: *Jdu starým lesem* [Ich gehe durch den alten Wald], hrsg. von Jan Mareš. Nachwort von Martin Gaži. Jihočeska vědecká knihovna v Českých Budějovcích 2005.

[25] Zur sprachlichen Gestaltung bei Stifter vgl. Michael Donhauser: *Kritik des reinen Verlusts. Zu Adalbert Stifter*. In: *Text und Kritik*. Heft 160: *Adalbert Stifter*. Oktober 2003, S. 48-55; Franz-Josef Czernin: *Zu Adalbert Stifters „Witiko"*. In: Ebenda, S. 56-71; Alfred Doppler: *Witiko, der Wald und die Waldleute – Das Stilprinzip der Wiederholung in Adalbert Stifters „Witiko"*. In: *Jahrbuch des Adalbert-Stifter-Institutes* Bd. 7/8 (Anm. 21), S. 39-46.

[26] „Ach, meine Geschichte ist so barock, türmig, kuppelig, hügelig und traurig durchblüht wie die Stadt Prag." (Johannes Urzidil: *Prager Triptychon*. München 1960, S. 153).

[27] Brigitte Kronauer: *Verlangen nach Musik und Gebirge*. Stuttgart 2004.

[28] Arnold Stadler: *Mein Stifter. Portrait eines Selbstmörders in spe und fünf Fotographien*. Köln 2005.

[29] John (Anm. 14), S. 243.

STIFTERS *WITIKO* AUS DER SICHT EINES HISTORIKERS

JIŘÍ KOŘALKA

Am 16. Juni 1864 datierte František Palacký (1798-1876), Landeshistoriograph des Königreichs Böhmen, bis 1861 der böhmisch-ständische Historiograph, das Vorwort zum dritten Abdruck der ersten Auflage des ersten Bandes seiner in deutscher Sprache geschriebenen *Geschichte von Böhmen*. „Gerne hätte der Verfasser bei dieser Gelegenheit", schrieb Palacký im Jahre 1864, ebenso wie zwanzig Jahre früher, im April 1844, „die durch seitherige Fortschritte der historischen Forschung gebotene Überarbeitung mehrerer Partieen unternommen, namentlich der Nachweise über die inneren Zustände der alten Bewohner Böhmens, wenn es nicht dringender erschienen wäre, an der Fortsetzung des Ganzen zu arbeiten, und eine vollständige Revision des Buches bis zu dessen Vollendung zu verschieben".[1] Einige deutschböhmische Historiker kritisierten – eigentlich mit Recht – diesen Vorgang, weil Palacký den Band I seines Lebenswerkes schon im Jahre 1836 beendet und veröffentlicht hatte und die Forschungen zum Frühmittelalter in Mitteleuropa seitdem viele neue Ergebnisse brachten, die Palacký nicht mehr verarbeitete, weil er sich ab Ende der 1840er Jahre fast ausschließlich auf die gründliche Erforschung der Geschichte des 15. Jahrhunderts, vor allem der Geschichte der Hussitenepoche, konzentrierte.[2] Diese Kritik betraf allerdings nicht Palackýs spannende Schilderung der Machtkämpfe in Böhmen seit Mitte des 12. Jahrhunderts innerhalb des herrschenden Herzogengeschlechts der Přemysliden sowie zwischen den Herzögen und der neuen adeligen Schicht, in tschechischer Sprache „velmoži" genannt, die über die Besetzung des Herzogenthrons in Prag entscheiden wollte.

Gerade diese hochinteressante Schilderung Palackýs fesselte den Schriftsteller Adalbert Stifter. Der aus Kaschau/Košice stammende, in Pest und später in Pressburg tätige Buchhändler und Verleger Gustav Heckenast (1811-1878)[3] erinnerte an sein Treffen mit Stifter in Wien. Stifter zeigte ihm den jüngst erschienenen neuen Abdruck des ersten Bandes von Palackýs *Geschichte von Böhmen* und „war hingerissen von einzelnen Episoden, welche wie eine Tragödie wirken".[4] Es war im Jahre 1864 nicht zum ersten Mal, dass Stifter die Bearbeitung der mittelalterlichen Heldenzeit in einem historischen Roman überlegte. Bereits im August 1847 informierte er den Verleger Heckenast über sein damals noch nebelhaftes Projekt, das ursprünglich auf die Herrschaftszeit der österreichischen Babenberger gerichtet war. Vor dem Ausbruch der Märzrevolution von 1848 setzte sich Stifter in Verbindung mit dem Wiener Archivar Josef Chmel, der sich bereit erklärte, ihm für das geschichtliche Unternehmen die nötigen Unterlagen zur Verfügung zu stellen. Nach der Rückkehr nach Linz studierte Stifter erzählende Quellen im dortigen Museum, wo ihn die Geschichte des südböhmischen Grafengeschlechts der Rosenberger und dessen Beziehungen zu den in Böhmen herrschenden Přemysliden besonders faszinierte. Offenbar wollte Stifter nun eine neunbändige Trilogie über die Zeit der Rosenberger schreiben, zunächst über den im Jahre 1194 verstorbenen Vítek (deutsch Witiko), dann über den unglücklichen, im Jahre 1290 hingerichteten Záviš und schließlich über den böhmischen König Přemysl Ottokar II., der seit 1254 auch in den österreichischen Ländern herrschte und in der Schlacht auf dem Marchfeld bei Dürnkrut 1278 seinen Tod fand. Im Herbst 1854 besuchte Stifter das ihm auch von Linz aus naheliegende Kloster Hohenfurt/Vyšší Brod in Südböhmen, wo er sich das Grab von Záviš und einige Urkunden im Klosterarchiv ansah.[5]

Obgleich Stifter seinen dreibändigen Roman *Witiko* nach einer historischen Persönlichkeit benannte, nach dem quellenmäßig erwiesenen Vítek, Begründer des Rosenberger-Geschlechts, ist es eigentlich kein biographisches Buch. Die zentrale Rolle in der Darstellung Stifters gehört

nicht Vítek, auch nicht den böhmischen Herzögen Soběslav und Vladislav, sondern einem vielstimmigen Chor, in dem die Herzöge, Bischöfe und Mitglieder der adeligen Landesgemeinde in gleicher Weise behandelt werden. Die gewaltige Menge von handelnden und redenden Personen ist fast unübersichtlich, und beinahe alle, den ziemlich negativ dargestellten Načerat eingeschlossen, sind in den zeitgenössischen Quellen, besonders in den Chroniken der sogenannten *Continuatores Cosmae*, das heisst bei den Fortsetzern des im Jahre 1125 verstorbenen, berühmtesten altböhmischen Chronisten Cosmas, erwähnt. Die geschichtliche und literaturhistorische Forschung reiht unter die Fortsetzer den *Canonicus Wissegradensis*, den *Monacus Sazawensis* (den Mönch vom Kloster an der Sázava) und den *Vincentius Pragensis* (den Kanoniker und Notarius des St. Veit-Kapitels auf der Prager Burg) ein.[6] Zweifellos schöpfte Stifter die meisten Angaben über Ereignisse und Personen in diesen Chroniken durch die Vermittlung der *Geschichte* Palackýs, aber einige Forscher haben nachgewiesen, dass Stifter vor allem das *Chronicon Boemorum* des Vincentius von Prag bekannt gewesen ist.[7]
An Herzog Soběslav, der von 1125 bis 1140 in Böhmen herrschte und den Witiko gleichsam am Sterbebett kennen lernte, schätzte Palacký besonders sein „überlegenes Herrschertalent und seine feste Hand", die „den Häuptern des Volkes unbequem waren."[8] In der Chronik des Vincentius von Prag begegnet man für diesen Soběslav sogar der Charakteristik *pater patriae* [Vater des Vaterlandes][9], die im späteren Geschichtsbewusstsein der Tschechen eher für den Kaiser und König Karl IV. reserviert wurde. Bei Stifter findet man keine direkte Einschätzung Soběslavs, aber wie üblich legte er sie in den Mund einer allgemein anerkannten Person, des Bischofs Jindřich Zdík von Olmütz (†1150), der von der heutigen historischen Forschung[10] als eine bedeutende Persönlichkeit der Kultur der böhmischen Länder im 12. Jahrhundert und als ein Mann von hervorragender Bildung bezeichnet wird:
„Der Herzog Soběslaw hat mit allen mächtigen Fürsten Frieden gemacht, und Freundschaft geschlossen, er hat die Lasten des Volkes erleichtert, er hat die Ämter gut eingerichtet, er hat Vesten gebaut, er hat steinerne Häuser in Prag errichtet, [...] er hat mäßig gelebt, in seinen Becher ist kein berauschendes Getränke mehr gekommen, er hat einen Schatz für den Nachfolger gesammelt [...]."[11]
Die Sprachenfrage der langen Reden und der persönlichen Kommunikationen im 12. Jahrhundert scheint für Stifter überhaupt nicht wichtig zu sein. Aus seiner Sicht haben alle handelnden Personen im *Witiko* einander verstanden. Der junge Witiko, der aus Südböhmen stammt, kommt am Beginn des Romans von Passau, wo er sicherlich nicht tschechisch sprechen konnte, in das Land seiner Vorfahren, in dem er einen kleinen Besitz zu verwalten hat und wo damals kaum die deutsche Sprache vorherrschte. Bei seiner ersten Begegnung in Südböhmen trifft Witiko einen Ritter an, der ihm die ganze böhmische Geschichte seit dem mythischen Zeitalter näher bringt. Noch vor dem Tode des Herzogs Soběslav trittt Witiko in seinen Dienst ein und in diesem Verhältnis gerät er in eine zahlreich besuchte adelige Versammlung auf dem Vyšehrad, wo historisch gesehen kaum deutsch gesprochen wurde. Entscheidend war die Zugehörigkeit zum Lande, die keine der handelnden Personen anzweifelte, die zwei Sprachgemeinschaften in Böhmen waren noch nicht ausgeprägt.
Als ich die Erstausgabe des *Witiko* von 1865 im Lesesaal der Handschriften und der seltenen Drucke der Prager Nationalbibliothek ansah, war ich davon überrascht, dass tschechische diakritische Zeichen bei Personennamen, besonders die *háčeks*, schon dort im Fraktursatz, nicht erst in späteren Auflagen mit lateinischen Buchstaben, sorgfältig beachtet wurden. Es zeigt sich, dass man am Schwierigsten den *háček* über den Endbuchstaben s setzen konnte. Schon weniger arbeitete die Druckerei mit tschechischen Längezeichen, so findet man nirgends das lange *í*. Eine solche Sorgfalt ist in anderen deutschsprachigen, auch in deutschböhmischen Druckzeugnissen der Zeit (und auch viel später) kaum zu finden. Das ist noch ein zusätzlicher Beweis für das Bemühen Stifters, die bereits zur Zeit der Entstehung des *Witiko* auftretenden nationalen

Gegensätze und Streitigkeiten in Böhmen zu überbrücken oder wenigstens nicht zu beachten.
Im Unterschied zu Palackýs *Geschichte von Böhmen*, wo die kriegerischen Auseinandersetzungen zwischen dem Herzogtum Böhmen und dem römisch-deutschen Reich, vor allem der böhmische Sieg in der Schlacht von 1125, und auch die häufigen Thronwechsel in Böhmen als Bestandteil der jahrhundertelangen schicksalshaften Rivalität zwischen Tschechen und Deutschen dargestellt werden, versucht Stifter im *Witiko* die zweifellos bestehenden Gegensätze und Reibungsflächen herabzumindern oder sogar beiseite zu lassen. Das römische Kaisertum war für Stifter ein übernationales Gebilde, ähnlich wie das Papsttum und die römisch-katholische Kirche, die ihre Autorität und Macht von Gott herleiteten. Die spätere tschechische Geschichtsforschung, speziell Václav Novotný (1868–1932), Professor der Karlsuniversität, im Band I/2 des repräsentativen Werkes *České dějiny* von 1913[12] und neuerdings Marie Bláhová (*1944), Professorin der historischen Hilfswissenschaften, im ersten Band der *Velké dějiny Koruny české* von 1999[13], nimmt einen vermittelnden Standpunkt ein, indem sie die Übertragung der nationalen Konflikte des 19. Jahrhunderts ins Mittelalter ablehnt, obgleich sie in der engeren Einbeziehung Böhmens in die Reichspolitik ein großes Problem für die Zukunft sieht.
Der geistreiche deutsche Mediävist nordböhmischer Herkunft, Ferdinand Seibt (1927–2003), charakterisiert Stifters *Witiko* als eine „konservative Utopie".[14] Diese Charakteristik bezieht sich nicht nur auf das von Stifter dargestellte ungestörte supraethnische Zusammenleben von Tschechen und Deutschen in Böhmen, das im 20. Jahrhundert von verschiedenen Seiten als Beispiel für die Gegenwart hervorgehoben wurde, sondern auch auf die unbestreitbare Idealisierung der gesellschaftlichen Verhältnisse im Hochmittelalter. Im *Witiko* räumt Stifter das Mitspracherecht im Lande auch den Bauern, Handwerkern und Waldleuten ein. Als Witiko die Ansichten einfacher Leute, die ihn als ihren Führer anerkannt haben, zu den Streitigkeiten innerhalb der Oberschicht kennen lernen will, hört er deren Gedanken an, die für eine patriarchalische Demokratie bezeichnend sind. „Wir müssen in dem Streite mit thun, und müssen in dem Streite entscheiden, und müssen etwas lenken, daß sie mit uns nicht thun dürfen, wie sie wollen", lässt Stifter einen „Mann in den mittleren Jahren" sagen. „Wir müssen mitreden dürfen, wenn Alles aus ist, wir müssen den Herren sagen dürfen, was wir wollen, wir müssen unsere Sache vertheidigen dürfen", steigert „ein junger Mann" noch diese Entschlossenheit.[15]
Das Konzept der hierarchisch abgestuften Mitsprache war in Stifters Auffassung eindeutig konservativ und ständisch sowie gegen die sich in Europa seit der Revolution von 1848 ausbreitende demokratische Welle und gegen den liberalen Konstitutionalismus gerichtet. Das traditionelle Gemeinschaftsleben zog Stifter eindeutig einer modernen Gesellschaftsordnung vor. Das staatliche Leben Böhmens im 12. Jahrhundert – und zweifellos auch darüber hinaus in zeitlicher und geographischer Hinsicht – sah Stifter durch zwei Prinzipien bestimmt, durch das der Ordnung und das der Anarchie. Es ist charakteristisch, dass Witiko zwar zunächst im Dienst des sterbenden Soběslav seinen Kandidaten für den Herzogsthron unterstützt, aber dann in Herzog Vladislav den Hüter und Garant der Ordnung sieht und sich auf seine Seite stellt.
Ein Stifter-Forscher untersuchte auch die geographischen und topographischen Angaben im *Witiko* und stellte fest, dass der Schriftsteller sich eng an die Wirklichkeit hielt und fast alle bedeutenden Berge, Gewässer und Orte des Böhmerwaldes gut kannte.[16] Die dortigen Bewohner im 12. Jahrhundert – ähnlich wie während der Kindheit und Jugendzeit Stifters – zeichnen sich im *Witiko* durch Bodenständigkeit, Lauterkeit, Treue und Zuverlässigkeit aus, Eigenschaften, die allen Bergbevölkerungen eigen sein sollen. Zwischen den Waldleuten einserseits und der Bevölkerung der Städte und des Tieflandes bestand in der Auffassung Stifters ein großer Unterschied, und das bestärkte ihn auch in seiner konservativen Einstellung.
Zeitgenössische Kritiker und einige Literaturhistoriker stimmen darin überein, dass der zweite und dritte Band des *Witiko* das literarische Niveau des ersten Bandes nicht mehr erreichten. Die Darstellung der politischen und militärischen Ereignisse in Böhmen unter Herzog Vladislav II.

entnahm Stifter fast ausschließlich dem neunten Kapitel des ersten Bandes der *Geschichte von Böhmen* Palackýs. Die Übernahmen gingen so weit, dass Stifter manchmal direkt die Formulierungen Palackýs gebrauchte.[17]
Die Aufnahme von Stifters *Witiko* in Prag um die Mitte der 1860er Jahre wurde im positiven Sinne dadurch verstärkt, dass die tschechische Presse die Widmung des Buches an die Stadt Prag und an die Landsleute seines Heimatlandes zur Kenntnis nahm.[18] Im Juni 1865 unternahm der bereits schwer kranke Adalbert Stifter einen Kuraufenthalt in Karlsbad und besuchte bei dieser Gelegenheit auch die Landeshauptstadt Prag.[19] Es konnte ihm allerdings nicht gelingen, mit František Palacký zusammenzutreffen, weil der Historiker erst vor kurzem von den Maisitzungen der Kaiserlichen Akademie der Wissenschaften in Wien und einem Forschungsaufenthalt in Brünn zurückgekehrt war und seit dem 4. Juni 1865 seinen regelmäßigen Sommersitz auf dem ostböhmischen Schloss Maleč bezogen hatte.[20]

[1] Franz Palacký: *Geschichte von Böhmen. Größtentheils nach Urkunden und Handschriften.* Bd. 1: *Die Urgeschichte und die Zeit der Herzoge in Böhmen bis zum Jahre 1197*. Dritter Abdruck der 1. Auflage. Prag 1864, S. X.

[2] Eduard Mikušek: *Palacký, Höfler und seine Schüler Schlesinger und Lippert*. In: *Die Böhmischen Länder in der deutschen Geschichtsschreibung seit dem Jahre 1848*. Ústí nad Labem 1996 (= *Acta Universitatis Purkynianae, Slavogermanica* Bd. 3), S. 117–134.

[3] *Slovenský biografický slovník*, Bd. 2: E-J. Martin 1987, S. 314.

[4] Zit. n. Hugo Rokyta: *Adalbert Stifter a Čechy*. České Budějovice 1968, S. 13.

[5] Nach älterer Literatur zusammengefasst bei Peter A. Schoenborn: *Adalbert Stifter. Sein Leben und Werk*. Berlin 1992, S. 439-463.

[6] Winfried Baumann: *Die Literatur des Mittelalters in Böhmen. Deutsch-lateinisch-tschechische Literatur vom 10. bis zum 15. Jahrhundert*. München-Wien 1978 (= *Veröffentlichungen des Collegium Carolinum* Bd. 37), S. 36ff.

[7] Gustav Wilhelm: *Adalbert Stifters letzte Saat und Ernte* (1947); zit. n. Schoenborn (Anm. 5), S. 453.

[8] Palacký (Anm. 1), S. 416.

[9] *Fontes rerum Bohemicarum*, Bd. 2, hrsg. von Josef Emler. Pragae 1874, S. 409; betont von Václav Novotný: *České dějiny*, Bd. I/2, Praha 1913, S. 665.

[10] Marie Bláhová: *Velké dějiny Koruny české*, Bd. 1: *Do roku 1197*. Praha-Litomyšl 1999, S. 533.

[11] Adalbert Stifter: *Werke und Briefe. Historisch-kritische Gesamtausgabe*, hrsg. von Alfred Doppler und Wolfgang Frühwald (ab 2001 Hartmut Laufhütte). Bd. 5,1: *Witiko*. 1. Bd., hrsg. von Alfred Doppler und Wolfgang Wiesmüller. Stuttgart u. a. 1984, S. 121f.

[12] Václav Novotný: *České dějiny*, Bd. I/2. Praha 1913, S. 561–665.

[13] Marie Bláhová: Upevnění knížecí vlády. In: *Velké dějiny Koruny české*, Bd. 1, Kap. VI/3, S. 527–567. Dies.: *České země za vlády Vladislava II*. In: Ebenda, Kap. VII/1, S. 568–639.

[14] Ferdinand Seibt: *Stifters „Witiko" als konservative Utopie*. In: *Deutsche und Tschechen. Beiträge zu Fragen der Nachbarschaft zweier Nationen*. München 1971 (= *Stifter-Jahrbuch*, N. F. 9), S. 23–39.

[15] Stifter: *Werke und Briefe* (Anm. 11), Bd. 5,2: Witiko. 2. Bd.,hrsg. von Alfred Doppler und Wolfgang Wiesmüller. Stuttgart u. a. 1985, S. 276.

[16] Moriz Enzinger: *Witiko-Geographie*. In: Ders.: *Gesammelte Aufsätze zu Adalbert Stifter*. Wien 1967, S. 192-218.

[17] Vgl. dazu Martin Selge: *Die Utopie im Geschichtsroman. Wie man Adalbert Stifters „Witiko" lesen kann*. In: *Der Deutschunterricht* Jg. 27 (1975) H. 3, S. 70-86.

[18] *Národ* (Praha), Jg. 2, Nr. 161 vom 15.6.1865, S. 3. Für die Hinweise auf Adalbert Stifter in der tschechischen Presse bin ich Herrn Dr. Václav Petrbok dankbar.

[19] *Národ* (Praha), Jg. 2, Nr. 165 vom 20.6.1865, S. 3.

[20] Literaturarchiv der Gedenkstätte des tschechischen Schrifttums Prag, Fonds František Palacký, Kalender auf das Jahr 1865, Notizen vom 21.5.–4.6.1865.

ADALBERT STIFTER IN BÖHMEN
Biographisch-literarische Wechselwirkungen

JOHANN LACHINGER

Wenn der Titel dieses Beitrags *Adalbert Stifter in Böhmen* lautet, so ist damit nicht nur eine biografische Chronologie der Aufenthalte des Dichters in seinem Geburtsland gemeint, sondern auch die Integration Böhmens als Bezugsfeld in seinem Leben und Schreiben, als Projektionsfläche seiner literarischen und künstlerischen Ideen in seinen Lebenssituationen in Wien und in Oberösterreich. Dies wiederum ausführlich zu behandeln, würde ein ganzes Buch ergeben und so müssen wir uns hier auf einige Kernzonen beschränken, in denen sich Stifters Aufarbeitungen seines Lebens- und Bildungsstoffes in besonders markanter Weise manifestieren.

Zuerst sei als eine Hauptthese vorgestellt, dass sich Adalbert Stifters Reflexionen auf sein Herkunftsland erst aus der biographischen, ja existenziellen Distanz vollzog, in die ihn sein Lebensschicksal, sein Bildungs- und Berufsweg geführt hat. Stifters emotionale Bindungen an seine Heimat verstärkten sich, je mehr die Rückkehr in sie unwahrscheinlicher und aussichtsloser wurde.

So sind denn auch viele seiner frühen Erzählungen, mit denen er berühmt werden sollte, eine einzige „Heimkehr in der Dichtung".[1]

Die Stifter-Interpretation der letzten Jahrzehnte hat sich nach der Verabschiedung der sogenannten werkimmanenten Interpretation der 1950er und 1960er Jahre verstärkt der biographischen, soziologischen und psychologischen bzw. psychopathologischen Bedingungen sowie den produktionsästhetischen Perspektiven der Werkgenese zugewandt und Stifters Besonderheit seiner Kunst mit den historischen, biographischen und psychologischen Voraussetzungen, aus denen sie hervorgegangen ist, in Verbindung gebracht, freilich ohne sie positivistisch ausschließlich aus diesen Faktoren abzuleiten. Für das Verständnis Stifters hat sich diese Methode des „synthetischen Interpretierens" (Jost Hermand) als besonders fruchtbar erwiesen – man erkannte und anerkannte die besonderen, intrikaten Interferenzen bei Stifter als konstitutiv für die Eigenart und Qualität seiner literarischen Weltentwürfe. Die vordem existierenden ideologischen Antagonismen in Deutung, Bewertung und Kritik der historischen und weltanschaulichen Position Stifters sind in den Hintergrund getreten, wie gerade die jüngsten Stifterbücher von Wolfgang Matz[2], Arnold Stadler[3] , Leopold Federmair[4] und Peter Becher[5] beweisen.

Man greift wieder entschieden auf einen existenziellen Ansatz zurück, der bereits in den Arbeiten des dänischen Germanisten Erik Lunding[6] (1946) und später etwa von Herbert Eisenreich[7] (1967), der sich auf Lunding berief, und von Kurt Gerhard Fischer[8] (1961) und Urban Roedl[9] (Bruno Adler) – 1936, insbesondere 1965 – sowie von Peter A. Schoenborn[10] verfolgt worden war. Jedenfalls erweist sich die biographisch-psychologische Betrachtungsweise für die Stifter eigentümliche literarische Fassung des Themenkomplexes „Heimat" als durchaus erhellende Zugangsmöglichkeit zu den Texten, vor allem der *Studien* (1844-1850) und der weiteren Texte von den Anfängen in den 1830er Jahren bis in die Revoltionszeit 1848/49.

Stifters „Heimkehr in der Dichtung" erscheint mir – und das ist meine zweite These – als Stifters einzigartige Kompensation seines langjährigen Fremdheitserlebnisses in der Großstadt Wien – verschärft gesagt: Stifters Scheitern in Wien. – Wohl nur aus dieser verworrenen Lebenssituation heraus ist die intensive dichterische Vergegenwärtigung einer verlorenen Lebenslandschaft begreiflich.

Stifters Scheitern in Wien: das war der Abstieg und Untergang optimistischer Lebensperspektiven auf allen Linien: als Studienabbrecher sowohl in der Rechtswissenschaft als auch in Mathematik und Naturwissenschaften und damit die Aussichtslosigkeit hinsichtlich gehobener bürgerlicher Berufschancen, die erfolglose Künstlerlaufbahn, seine verworrenen Liebesbeziehungen, letztlich seine Aussichtslosigkeit bezüglich einer glücklichen Liebesheirat, die Eheschließung ohne innere Überzeugung, sozialer und materieller Notstand (Pfändungen!), Angst und Verlassenheit – wie es Erik Lunding diagnostizierte –, das waren deprimierende Niederlagen. Einzig war es wohl das Bewusstsein künstlerischer Überlegenheit, das ihn nicht zweifeln ließ an möglicher positiver Wendung seines Lebens.

Aus dieser perspektivelosen Grundsituation half ihm schließlich die künstlerische Phantasie heraus, mit der sich ihm das Bild seiner Heimat im Rückblick gestaltete.[11] Nicht als Idylle glükklicher Kindheit und Jugend, sondern als melancholischer Tagtraum von unerreichbaren Fernen. In einer Umfrage unter den bekanntesten AutorInnen der österreichischen Gegenwartsliteratur zum 200-Jahr-Jubiläum Adalbert Stifters in der Zeitung *Die Presse* am 22. Oktober 2005, in der 13 Antworten zu Stifter publiziert wurden, sagte Gert F. Jonke in einem einzigen lapidaren Satz: „Mein Stifter – Ein geschriebener Wald." Stifters Wälder, das vielleicht auffallendste Signum seiner Kunst, sind in der Großstadt geschrieben worden, in der rückblickenden Phantasie des entfremdeten Künstlers! Stifter hörte die Šumava rauschen im Dickicht der Städte und seine Heimkehr in der Kunst war sein erfreulichster Aufenthalt. – Im Kulturbetrieb der Hauptstadt, in der luxuriösen Sphäre der Adelspaläste, in dem großzügigen Lebensstil der Hochgestellten, den er auch als Hauslehrer aus nächster Nähe kennen lernen konnte, in ihrer behaupteten Überlegenheit, erschienen ihm die einfachen Menschen seiner Heimat, ihre kleinen, oft kargen Verhältnisse plötzlich als wahrer und bedeutender als die Lebenswelten der gehobenen Klassen. So hat er denn auch den gesellschaftlichen Kontrast mehrfach hervorgehoben, am pointiertesten wohl in der adligen Jagdgesellschaft im Böhmerwald in der *Studien*-Erzählung *Der beschriebene Tännling*.[12]

Zum einfachen, naturnahen Leben seiner böhmischen Heimat fand er zurück, indem er es mit der Phantasie heranholte, gleichsam durch ein Fernglas, das in die geographische, zeitliche und existenzielle Ferne gerichtet war.

Die eigene Betroffenheit von dem, was er dichtete, zeigt sich am deutlichsten in den autobiographischen Perspektiven, die er den Erzählern der oft traumatischen Schicksale seiner Geschichten mitgibt: Der *Abschied von Šumava* (so der Titel einer Dichtung des Wiener Germanisten Walter Zettl[13]) auf dem Weg in eine ungewisse Zukunft in der Fremde ist ein markantes Motiv, wie z. B. in der berühmten Erzählung *Der Hochwald*, wo sich der Erzähler gewissermaßen als sein eigener Genius einführt, wenn er sagt:

„Möchte es uns gelingen, nur zum tausendsten Theile jenes schwermüthig schöne Bild dieser Waldthale wieder zu geben, wie wir es selbst im Herzen tragen, seit der Zeit, als es uns gegönnt war, dort zu wandeln, und einen Teil des Doppeltraumes dort zu träumen, den der Himmel jedem Menschen einmal und gewöhnlich vereint gibt, den Traum der Jugend und den der ersten Liebe. Er ist es, der eines Tages aus den tausend Herzen eines hervorhebt, und es als unser Eigenthum für alle Zukunft als einzigstes und schönstes in unsere Seele prägt, und dazu die Fluren, wo es wandelte, als ewig schwebende Gärten in die dunkle warme Zauberfantasie hängt!" (HKG 1,4; 211f.)

Ähnlich erleben wir den Erzähler in der Erzählung *Der Waldgänger* (1847) als einen, der zurückblickt in die böhmischen Herkunftslandschaft und in seine von Lebenshoffnungen erfüllte frühere Vergangenheit. Er hat nicht erreicht, was er angestrebt hatte, seit er von jenen Waldlandschaften seiner Kindheit und Jugend „auf lange, auf unbestimmt lange Zeit scheiden musste":

„Wie war seit jenen Jahren alles anders geworden! Jedes Ungeheure und Außerordentliche, welches sich in der Zukunft des Wanderers vorgespiegelt hatte, war nicht eingetreten, jedes Gewöhnliche, was er von seiner Seele und seinem Leben ferne halten wollte, war gekommen [...]

denn die Dinge kehrten sich um, und was sich als groß gezeigt hatte, stand als Kleines am Wege, und das Unbeachtete schwoll an und entdeckte sich als Schwerpunkt der Dinge, um den sie sich bewegen." (HKG 3,1; 101)

Desillusion, Frust und Enttäuschung sprechen aus dieser Klage des Erzählers über ein verfehltes Leben. Solche Erschütterungen klingen noch nach im Roman *Der Nachsommer* – im Abschiedsschmerz des jungen Gustav Risach, als er seinen Heimatort Dallkreuz im Hinterwalde verläßt – allerdings zu einer letztlich erfolgreichen Laufbahn im Rechtsstudium in der Residenzstadt (Wien) – Stifters nachträglich korrigierte Biographie im Roman. Das Kapitel „Der Rückblick" aber zeigt die Brüche im Scheitern von Risachs Jugendliebe!
In einer langen Reihe von Erzählungen und Schilderungen tritt uns dieser biographische Raum in Böhmen entgegen in vielfachen Variationen als Raum menschlicher Schicksale. Zu nennen sind die Erzählungen *Das Haidedorf, Der Hochwald, Abdias, Der Waldgänger, Die Mappe meines Urgroßvaters, Der beschriebene Tännling* – diese Erzählungen sind in Stifters Wiener Jahren zwischen 1840 und 1848 – entstanden. Es schließen sich in den zwanzig Jahren seiner Linzer Zeit an: die Erzählungen *Granit* und *Katzensilber* aus den *Bunten Steinen*, die späten Erzählungen *Der Waldbrunnen* und *Der Kuß von Sentze*, schließlich der Roman *Witiko,* die Schilderung *Aus dem bairischen Walde* und das große Romanfragment der *Mappe* gegen Ende seines Lebens.
Wir wollen hier zur Illustration auf die frühe Erzählung *Das Haidedorf* eingehen, und zwar auf die erste und damit ursprünglichste Fassung dieser Künstler-Erzählung (1841): Sie stellt sich im Ganzen als eine Projektion von Stifters eigenen Phantasien von einer künstlerischen Wunschwirklichkeit dar, ein Tagtraum von einer geglückten Existenz als Dichter[14]: Hier „zeigt sich zugleich die für Stifters poetisches Verfahren eigentümliche Metamorphose des Biographischen zum Poetisch-Stilisierten, ja Erhabenen, in typischer Ausprägung. Typisch für Stifter auch darin, dass sich die äußere formale und inhaltliche Anspruchslosigkeit, ja Unscheinbarkeit mit gehaltlicher Vielschichtigkeit verbindet.
Die beschriebene Landschaft im *Haidedorf* wird zwar topographisch nicht näher bezeichnet, es heißt nur, es sei ‚weit von hier ein traurig liebliches Fleckchen Landes, das sie die Haide nennen', doch wird sie als eine Gegend um Stifters Geburtsort Oberplan lokalisierbar (z. B. gab es den Flurnamen Roßberg, der in der Erzählung vorkommt, dort tatsächlich). Die poetische Welt des *Haidedorfes* ist allerdings eine ins Märchenhafte verwandelte. Sie transzendiert das Reale, das in der Schilderung des Heidelandes und der einfachen Bauernwirtschaft in der Einschicht erkennbar scheint, ins Symbolhafte. Die Darstellung des kargen Weidelandes mit dem Hirtenjungen und den Schaf- und Ziegenherden steht tendenziell der idealen bukolischen Landschaft der älteren Idylle näher als jener der zeitgenössischen realistischen Dorfgeschichte, ja der ganze Erzählraum ist geradezu von archaischer Einfachheit. Aus dieser urtümlichen Sphäre entwickelt Stifter den Werdegang eines Dichters. Es ist der Dichter in seiner höchsten Ausprägung: der prophetische Seher. Dieser Dichter beginnt seinen Werdegang in der Einsamkeit der Natur, weitab von der Zivilisation (Stifter schreibt aus der Perspektive Wiens ‚weit von hier'.) Die Phantasie des Hirtenknaben wird einzig gespeist von den einfachen Dingen der Natur und von den biblischen und phantastischen Erzählungen der uralten, naturfrommen Großmutter, die quasi schon jenseits der Welt steht. Der kindlichen Phantasie des Heidejungen vermischt sich Natur und biblische Geschichte in spielerischen Visionen von alttestamentlichem Propheten- und Königtum, Visionen, die das Kind auf der Heide auslebt. Der Heranwachsende zieht mit seinen Phantasieschätzen fort in die Stadt, um sich das Wissen der Welt zu erwerben, er geht dann in den Orient, lebt in der Einsamkeit der Wüste, kommt ins Heilige Land und kehrt zuletzt als Berufener zurück in das Heidedorf, wo er sich unter den Seinen niederlässt. Seine hohe Sendung als Dichter wird schließlich von der höchsten weltlichen Instanz ehrfurchtsvoll gewürdigt, im Heidedorf erscheint der König, um den großen Heidesohn auszuzeichnen.

Diese märchenhaft-mythische Erzählung Stifters von Natur, Religion und Dichterberuf entrückt die Heimat des Dichters und den Dichter selbst in die Dimension des Urbildlichen. Zugleich spiegeln sich aber auf dieser höchsten Ebene reale Biographie und Wunschbilder des Dichters Stifter wider. Die Geschichte vom Heidesohn, der nach einer Kindheit voll Einfachheit, Naturnähe und Phantasie auszieht in die Welt, in die Stadt, um sich das Wissen der Welt anzueignen, entspricht der Lebensgeschichte Stifters, die ihn vom Böhmerwald über Kremsmünster nach Wien führte. Das Weitere aber, die höchste Entfaltung im Dichterberuf als Frucht der langen Lehr- und Wanderjahre, die Rückkehr in die integrierte Welt der Heimat und die Legitimation des künstlerischen Schaffens durch höchste Anerkennung, das ist sein Wunschtraum.

Adalbert Stifter: Die Gutwasserkapelle bei Oberplan, 1845.

Dem Hirtenjungen Felix, dem ‚Glücklichen', wird in der poetischen Welt dieser Aufstieg zum Höchsten und die Heimkehr zuteil." In ähnlicher Weise gestaltet Stifter seine literarische Rückkehr-Phantasie positiv in der Erstfassung der *Mappe meines Urgroßvaters* (1841), wenn der Erzähler gleich am Eingang der Geschichte des jungen Arztes Dr. Augustinus mitteilt: „Er war ein weitberühmter Arzt und Doctor der freyen Künste, sonst auch ein eulenspiegliger Herr und Ehrenmann. Alles dieses ist er auf der sehr alten und sehr berühmten Hochschule zu Prag geworden, von wannen er aber, kaum daß er den neuen Doctorhut auf hatte, sogleich pfeilrecht abschoß in die schöne Waldeseinsamkeit seines Geburtsthales und dort fast zehn Meilen im Durchmesser curirte." (HKG 1,2; 11) – „Für den 35jährigen Wiener Hauslehrer, ewigen Studenten, Maler und kaum bekannten Dichter Adalbert Stifter bleibt alles romantisch-poetischer Traum. Er vollzieht die für ihn einzig mögliche Heimkehr zum Glück, die Heimkehr in der Dichtung."

Verglichen mit den literarischen Spiegelungen Böhmens und des Böhmerwaldes waren die Aufenthalte des Dichters und Malers Stifters in Böhmen nach den Studienjahren in Wien und seinem persönlichen Verkehr mit Fanny Greipl in Friedberg merkwürdig selten. Selbst von Linz aus, wo er von 1848 an bis zu seinem Tod 1868 ständig lebte, hat er seine Familie und seine Heimat im Böhmerwald nur sporadisch besucht; es mag dies auch mit den inneren Blockaden gegenüber seinem Stiefvater Ferdinand Mayer zusammenhängen, die sich mit der Zeit auch wieder entschärft hatten.
Der längste und persönlich bereicherndste Aufenthalt im heimatlichen Oberplan fällt erst in das Jahr 1845, als Stifter als bereits anerkannter Schriftsteller mit seiner Frau Amalia seine Familie besuchte. Es war dies die erste Begegnung Amalias mit der Familie ihres Mannes. In dieser Zeit wohl wurde Stifter zu der im Oberplaner Gebiet angesiedelten Jagderzählung *Der beschriebene Tännling* inspiriert, in die auch die Legende vom Gnadenbild der Schmerzhaften Muttergottes und die Gründung der Wallfahrtskirche auf dem Gutwasserberg in Oberplan verwoben ist.
Aus diesem Jahr stammt auch die feine Bleistiftzeichnung Stifters von der Oberplaner Gutwasserkirche.

Der Tod der Mutter Stifters am 27. Februar 1858 traf ihn offenbar unerwartet. Da er die Nachricht erst einen Tag nach dem Begräbnis erfuhr, konnte er ihr als dem geliebtesten Menschen seines Lebens nicht mehr die letzte Ehre erweisen. Erst zwei Monate vor seinem eigenen Tod, am 27. November 1867, hat er gemeinsam mit seinen Geschwistern die von ihm selbst entworfene, im neugotischen Stil gestaltete Grabplatte im Friedhof der Oberplaner Pfarrkirche errichten können. Das Grabdenkmal befindet sich an der Kirchenmauer und trägt die Widmungsworte: „Sie erntet, was sie einst gesäet".
Bereits ein Jahr früher, vom 28. August bis 3. September 1866, verbrachte Stifter, bereits schwer krank, einige Spätsommertage im Haus in Oberplan bei der Familie seines Bruders Johann Stifter. Damals soll er mit den Aufzeichnungen über sein Leben, dem berühmten, ein Fragment von sieben Seiten gebliebenen Text *Mein Leben* begonnen haben. Es gibt davon mehrere, nur partiell voneinander abweichende Fassungen, die im Prager Stifter-Archiv aufbewahrt werden und noch nie in ihrem Gesamtbestand kritisch ediert wurden. Ob nun diese kurzen, Fragmente gebliebenen Texte tatsächlich innerhalb dieser wenigen Tage in Oberplan geschrieben wurden, ist nicht ganz eindeutig zu klären, denn bereits die Erzählung *Der Waldgänger*, 1847, enthält das Motiv vom kindlichen Benennen des Weges nach Schwarzbach und das „Machen" Schwarzbachs, dort allerdings in Verbindung mit Hohenfurth. Nämlich: Das noch kleine Hegerkind Simi hat Hohenfurth mit Kienspänen und Steinen gebaut. Sein Vater sagt: „[...] der Bube baut lauter Hohenfurth. Wenn er Steine in eine Zeile legt, so ist es Hohenfurth; wenn er die Holzstücke in eine viereckige oder fünfeckige Gestalt zusammen bringt, so ist es Hohenfurth [...]"; und er sagt: „Vater, da geht eine Ziege nach Hohenfurth, da geht ein Bock nach Hohenfurth, da schwimmt ein Holz nach Hohenfurth", usw. (HKG 3,1; 121). Im Vergleich dazu der betreffende Text aus dem Fragment *Mein Leben*: „Auf diesem Fensterbrette sah ich auch, was draußen vorging, und ich sagte sehr oft: ‚Da geht ein Mann nach Schwarzbach, da fährt ein Mann nach Schwarzbach, da geht ein Weib nach Schwarzbach, da geht ein Hund nach Schwarzbach, da geht eine Gans nach Schwarzbach.' Auf diesem Fensterbrette legte ich auch Kienspäne ihrer Länge nach an einander hin, verband sie wohl auch durch Querspäne, und sagte: ‚Ich mache Schwarzbach'." (PRA 25, S.181)
So könnte Stifter durchaus schon früher an autobiographischem Material für diese erstaunliche Selbstdarstellung gearbeitet haben.
Stifters ausgedehnteste Aufenthalte in Böhmen fallen in die letzten drei Lebensjahre: Drei Badekuren in Karlsbad (1865-67) sollten dem seit 1863/64 an Leberzirrhose leidender Dichter so etwas wie eine Stabilisierung seiner unheilbaren Krankheit verschaffen. Der an seiner Arbeit am Roman *Witiko* schier verzweifelnde Autor war auch von gravierenden neurasthenischen Zustän-

den geplagt, die besonders bei seinem ersten Karlsbader Kuraufenthalt 1865 gefährlich akut wurden und vermutlich zu einem Nervenzusammenbruch führten. Dennoch gewann er so viel Hoffnung und Zuversicht, dass er sich – wie seine Briefe zeigen – mit Interesse dem äußeren Leben zuwenden konnte. Er war mit Gattin Amalia und Nichte Kathi und dem Hündchen Putzi in den weltberühmten Kurort gereist, sie gebrauchten Trinkkuren unter Anleitung des berühmten Badearztes Dr. Seegen, auch dem Hündchen Putzi wurde „Mühlbrunnen" (eine der Heilquellen) in das Futter gemischt!

Gerade der Badeaufenthalt von 1865 war reich an Beobachtungen und Aktivitäten. Der große Goethe-Verehrer Stifter hatte natürlich Kenntnis von den zahlreichen Karlsbader Kuraufenthalten seines literarischen Vorbildes: Umso mehr schmerzte es ihn, keine Erinnerungszeichen an den berühmten Kurgast vorzufinden (PRA 20, 297f.) – er ließ sich sogar Goethes *Wilhelm Meister* aus Linz nachsenden, um die Atmosphäre Goethes nachzuempfinden. Dafür mokierte er sich über die Eitelkeit der reichen, betuchten Kurgäste: „Ganz besonders schöne Sammlungen von Närrinnen hat der liebe Gott hieher gesandt. Sie gehen behüllt und behängt mit allerlei auf der alten Wiese und sonst herum und verfehlen ihres Zweckes, des Bewundertwerdens, denn die an dergleichen Dingen auch Freude haben, beneiden sie höchstens, und die anderen lachen sie aus." (PRA 20, 298) Er sehnte sich nach der Einsamkeit des Bayerischen Waldes, und es ist bezeichnend, dass Karlsbad keine literarischen Spuren im Spätwerk Stifters hinterlassen hat.

Wichtig war Stifter der anschließende Besuch der Stadt Prag – vor allem wegen des böhmischen Historienromans *Witiko*. Er ist sich bewusst, dass er die Hauptstadt Böhmens, auch wegen der adäquaten Gestaltung des historischen Kolorits, kennen lernen müsse. Und so schreibt er dann auch an seinen Verleger Gustav Heckenast am 29. Juli 1865: „In den Lakerhäusern schrieb ich den ersten Abschnitt des zweiten Bandes des Witiko neu, weil nach meinen Prager Erfahrungen über die Verhältnisse der Stadt im 12. Jahrhundert schier Alles auf jeder Seite unrichtig war. Auch körniger, frischer und feuriger wurde die Sache." (PRA 21, 14) – Und am 7. Mai 1867, bei seinem dritten Karlsbader Aufenthalt, kann er dem Verleger erleichtert mitteilen: „Witiko ist geschlossen."

Bei seinem Aufenthalt in Prag im Juni 1865, bei dem er historischen Anschauungsunterricht genießen konnte, wollte er auch den bedeutendsten tschechischen Historiker seiner Zeit, František Palacký, besuchen (PRA 20, 318).[15] Aus dem 1. Band seiner *Geschichte von Böhmen* (Prag 1836) hat Stifter entscheidende Quellenkenntnisse für sein böhmisches Geschichtsepos *Witiko* geschöpft. Stifter hat seinem Roman eine bedeutsame Widmung vorangestellt, die, dem traditionellen böhmischen Landespatriotismus entsprechend, Böhmen als sein „Heimatland" mit Prag als Hauptstadt und Böhmens gesamte Einwohnerschaft – Tschechen und Deutsche – umfasste: „Seinen Landsleuten, insbesonders der alten, ehrwürdigen Stadt Prag, widmet diesen Dichtungsversuch aus der Geschichte seines Heimatlandes mit treuer Liebe der Verfasser. Linz, im Christmonat 1864."

Franz Palacký hatte als Widmung in den ersten Band seiner *Geschichte von Böhmen* geschrieben: „Den hochlöblichen Herren Ständen des Königreiches Böhmen, den Urhebern und Förderern dieses Werkes, in Ehrfurcht und Dankbarkeit gewidmet vom Verfasser." Stifter widmete seinen Roman dem „hochlöblichen Magistrat der Stadt Prag" (und bemerkenswerter Weise nicht dem König von Böhmen, Kaiser Franz Joseph), und sandte den ersten Band an den Landesausschuss, also an die Regierung des Königreichs Böhmen, sowie alle drei Bände dem „Gemeinderat der Stadt Prag, in dem seit 1861 die tschechischen Mandatare in der Mehrzahl waren".[16] Stifters offizielle Widmungen erwiesen sich so als politisches Bekenntnis zur übernationalen Einheit des Landes im Aufbruch der Nationalitätenkonflikte. Mit dem böhmischen Nationalepos *Witiko* hat Stifter seine „Heimkehr in der Dichtung" im umfassendsten Sinne vollzogen.

[1] Dieser Vortrag stellt eine in wesentlichen Punkten thematisch erweiterte Fassung des im *Jahrbuch der Grillparzer-Gesellschaft*, 3. Folge, 15. Band, Jg. 1983, S. 117-127 veröffentlichten Vortrags des Verfassers (Grillparzer-Gesellschaft Wien, 19.3.1980) *Heimkehr in der Dichtung. Anmerkungen zu Adalbert Stifters Wiener Jahren* dar.

Vgl. auch den Beitrag des Verfassers: *„Böhmische Elegien". Poetische und biographische Landschaft in Stifters frühen Erzählungen.* In: *VASILO 40* (1991) F. 1/2, S. 74-89.

[2] Wolfgang Matz: *Adalbert Stifter oder Diese fürchterliche Wendung der Dinge. Biographie.* München 1995.

[3] Arnold Stadler: *Mein Stifter. Portrait eines Selbstmörders in spe und fünf Photographien.* Köln 2005.

[4] Leopold Federmair: *Adalbert Stifter und die Freuden der Bigotterie.* Salzburg-Wien 2005.

[5] Peter Becher: *Adalbert Stifter. Sehnsucht nach Harmonie. Eine Biografie.* Regensburg 2005.

[6] Erik Lunding: *Adalbert Stifter. Mit einem Anhang über Kierkegaard und die existentielle Literaturwissenschaft.* Kopenhagen 1946 (= *Studien zur Kunst und Existenz* Bd. 1).

[7] Herbert Eisenreich: *Das kleine Stifterbuch.* Salzburg 1967.

[8] Kurt Gerhard Fischer: *Adalbert Stifter. Psychologische Beiträge zur Biographie.* In: *VASILO 10* (1961) F. 1/2, S. 1-112.

[9] Urban Roedl: *Adalbert Stifter. Geschichte seines Lebens.* Berlin 1936; 2., neubearbeitete Auflage, Bern 1958. – Urban Roedl: *Adalbert Stifter in Selbstzeugnissen und Bilddokumenten.* Reinbek bei Hamburg 1965 = *rm* 86).

[10] Peter A. Schoenborn: *Adalbert Stifter. Sein Leben und Werk.* 1. Aufl., Tübingen 1992; 2., aktualisierte Aufl., Tübingen 1999.

[11] Über Stifters Lebenssituation und berufliche Problematik in den Wiener Jahren informieren alle Stifter-Biographien, angefangen mit Alois Raimund Hein (1904). Mit besonderem Nachdruck sei hingewiesen auf die einschlägigen Studien von Helga Bleckwenn: *Künstlertum als soziale Rolle.* I. *Stifters Berufswahl.* In: *VASILO 28* (1979) F. 1/2, S. 35-42, und: *Künstlertum als soziale Rolle.* II. *Stifters Berufslaufbahn in den vierziger Jahren.* In: *VASILO 30* (1981) F. 1/2, S.15-45. Die Rückbesinnung auf die biographische Herkunftswelt aus der Erfahrung von Fremdheit und die Kompensation des Verlustes von „Heimat" in der künstlerischen Sublimation ist eine zeitlose Grunderfahrung und ein wirkmächtiger Topos, nicht nur in der Literatur Stifters Zeitgenosse Franz Stelzhamer etwa hat als gebürtiger Innviertler Kleinhäuslerssohn die angestammte Innviertler Mundart und ihre volkskünstlerischen Prägungen in der fernen Großstadt „entdeckt" und als genuines Ausdrucksmedium seiner Kunst erfolgreich umgesetzt. Seine *Lieder in obderenns'sischer Volksmundart* erschienen 1837 in Wien. Eine lange Reihe von Dichtern mit ähnlichen biographischen Konstellationen wäre schon allein für die Stifterzeit anzuführen. Die Exilliteratur ist weithin von dieser Problematik geprägt. Als Prager Beispiel sei hier nur Johannes Urzidil mit seinem im New Yorker Exil geschriebenen böhmischen ‚Erinnerungsbuch' *Die verlorene Geliebte* (1956) genannt.

[12] Vgl. Johann Lachinger: *Verschlüsselte Adelskritik: Adalbert Stifters Erzählung „Der beschriebene Tännling".* In: *Adalbert Stifter heute. Londoner Symposium 1983*, hrsg. von Johann Lachinger, Alexander Stillmark und Martin Swales. Linz 1985 (= *Schriftenreihe des Adalbert-Stifter-Institutes des Landes O.Ö.* F. 35; *Publications of the Institute of Germanic Studies, University of London* Vol. 93), S. 101-120.

[13] Walter Zettl: *Abschied von Šumava.* Privatdruck anlässlich des 60. Geburtstages von Walter Zettl am 18. Mai 1979. Federzeichnungen von Gunther Zettl. Rom: Studio Tipografico 1979.

[14] Die folgende Interpretation der Erstfassung (Journalfassung) von Stifters Erzählung *Das Haidedorf* (HKG 1,1; 161-190) wurde zur Gänze aus dem Aufsatz des Verfassers *Heimkehr in der Dichtung* (Anm. 1), S.126f., übernommen. Die in den *Studien* veröffentlichte ‚Buchfassung' der Erzählung *Das Haidedorf* unterscheidet sich in der Gestaltung des Schlusses der Geschichte, wo der junge Dichter wegen des existenziellen Verlustes der Geliebten durch das Eheverbot ihres Vaters verstummt, ganz entscheidend von der Erstfassung, in der das Dichtertum des in der Fremde gereiften Dichters in der Heimat höchste Auszeichnung erfährt. Auch hier spiegeln sich autobiographische Momente: Das für Stifter niederschmetternde Verbot des weiteren brieflichen Verkehrs mit Fanny Greipl durch deren Eltern.

[15] Vgl. auch: Hugo Rokyta: *Adalbert Stifter und Prag.* Linz: Adalbert Stifter Institut des Landes Oberösterreich 1961 (= *Schriftenreihe des Adalbert-Stifter-Institutes des Landes O.Ö.*, F. 24). – Der Besuch Stifters bei František

Palacký kam nicht zu Stande. Herr Prof. Dr. Jiří Kořalka gab noch während des Prager Symposions nach seiner kurzfristigen Recherche im eigenen Palacký-Archiv die Begründung, dass Palacký zu dieser Zeit von Prag abwesend war. Vgl. auch den Beitrag von Jiří Kořalka in diesem Band.

16 Adalbert Stifter: *Witiko. Stellenkommentar.* Von Alfred Doppler und Wolfgang Wiesmüller. Stuttgart 2001, S. 16ff. (= HKG 5,5).

ADALBERT STIFTER IN DEN FORSCHUNGEN DER BÖHMISCHEN UND DER TSCHECHISCHEN GERMANISTIK BIS 1945 IM ÜBERBLICK

MILAN TVRDÍK

I.

Im deutschsprachigen Raum Böhmens trat nach den ersten Versuchen, den halb vergessenen Dichter Adalbert Stifter neu in Erinnerung zu rufen, die Periode der Traditionspflege ein, deren Ergebnisse, an den mit Leben und Werk des Dichters eng verbundenen Orten, etwa die Benennung des Stadtparks in Oberplan nach seinem berühmten Landsmann am Ende des 19. Jahrhunderts oder die Aufstellung des Standbildes des Dichters am Gutwasser oberhalb von Oberplan 1906 waren.[1]
Bei der Enthüllung der Statue oberhalb von Oberplan hielt August Sauer[2], Professor der Neueren deutschen Sprache und Literatur an der Deutschen Universität in Prag, die Festrede. Zur selben Zeit erschienen die ersten Stifter-Biographien[3], und Adalbert Stifter wurde neben Josef Rank und Josef Messner zum Begründer der deutschsprachigen Literatur des Böhmerwaldes erhoben.[4]
Die Rückerinnerung an Adalbert Stifter, von Wien aus initiiert, gab August Sauer Anregungen für die Stifter-Forschung, die im Rahmen der Erforschung der böhmischdeutschen Literatur zu einer der Hauptaufgaben der Prager deutschen Germanistik wurde. In der Reihe der *Bibliothek deutscher Schriftsteller aus Böhmen, Mähren und Schlesien*, die Sauer 1894 als Fortsetzung der vom „Verein der Geschichte der Deutschen in Böhmen" betreuten *Bibliothek der mittelhochdeutschen Literatur in Böhmen* ins Leben rief, kamen ab 1904 regelmäßig die *Sämmtlichen Werke* von Adalbert Stifter heraus.[5] Sauers Schüler widmeten sich der Stifter-Forschung auch in der späteren Zeit und setzten das Vorhaben ihres Lehrers fort.[6]
Die große Stifter-Ausgabe, die in 37 Bänden innerhalb der *Bibliothek* erschien, leitete Sauer im Auftrag der „Gesellschaft zur Förderung deutscher Wissenschaft, Kunst und Literatur in Böhmen", 1918 in „Deutsche Gesellschaft der Wissenschaften und Künste für die Tschechoslowakische Republik" umbenannt, deren Vorsitzender er bis zu seinem Tod 1926 war. Gegenüber älteren Ausgaben wurden in die neue nicht nur frühere Entwürfe und Bruchstücke zu nicht vollendeten Dichtungen, sondern auch Tagebücher und literarische Skizzenhefte, Zeugnisse, Aktenstücke und Dokumente, die für Stifters Leben und Werk von Bedeutung sind, aufgenommen und mit Lesearten, Einleitungen und Erläuterungen aus Sauers Feder versehen. Die Bedeutung dieses Unternehmens ist unter anderem daran zu sehen, daß es die Aufmerksamkeit der deutschsprachigen literarischen Öffentlichkeit auf österreichische (Sauer befaßte sich ausführlich auch mit Franz Grillparzer) und böhmischdeutsche Dichter lenkte, zu einer Zeit, als die deutsche Literaturgeschichtsschreibung überwiegend reichsdeutsch orientiert war und Werke dieser ‚Randprovenienz' eher außer Acht ließ.
Nach Sauers Tod verließ die Stifter-Rezeption in der Tschechoslowakei das universitäre Zentrum in Prag und wechselte in die deutschsprachigen Randgebiete des Landes. Die Herausgabe der *Bibliothek deutscher Schrifteller* wurde nach Reichenberg (Liberec) verlegt und vom Franz-Kraus-Verlag[7] übernommen, in Eger (Cheb) entstand schon 1924 die „Literarische Adalbert-Stifter-Gesellschaft", die ab 1930 ihre Mitteilungen unter dem Titel *Stifter-Gemeinde*[8] herausgab, zwischen 1928 und 1931 war Eger dazu auch noch der Redaktionssitz der Zeitschrift *Witiko*, die sich für die deutsch-tschechische Verständigung vor der letzten Aufschwellung des nationalistischen Hasses der dreißiger Jahre einsetzte. Es war aber schon die Zeit der Weltwirtschaftskrise, die besonders hart die industriellen Randgebiete Böhmens und Mährens mit der überwiegend deutschen Bevölkerung heimsuchte und die dem nur mühsam errungenen ‚Waffenstillstand' zwi-

schen den verfeindeten Nationen in der Republik ein rasches Ende machte. Auch Stifters Werk und seine Wirkung verzeichneten bei den meisten sudetendeutschen Intellektuellen einen Rückzug ins Völkische, worunter man damals die nationalistisch und gegenüber den Tschechen feindlich gefärbte Heimatverbundenheit des Dichters verstand.

II.

Nach der Teilung der Prager Universität in eine tschechische und eine deutsche im Jahre 1882 legten die Germanisten des tschechischen Lehrstuhls zeitgemäß großen Wert auf ältere germanische und deutsche literarische Denkmäler sowie – als ihre Hauptaufgabe – auf die Erforschung der wechselseitigen Beziehungen zwischen den großen Persönlichkeiten der deutschen Literatur und der tschechischen Kultur. Das Forschungsfeld umfaßte vor allem Goethe, später auch Heine – wegen ihres großen Einflusses auf die moderne tschechische Literatur – und die Erforschung einzelner literarischer und gesellschaftlicher Motive, wie die des Faust oder die des Hussitismus in seinem Einfluß auf die deutschsprachige Dichtung seit dem Mittelalter, um wenigstens die wichtigsten zu nennen.

Die ersten großen Vertreter der tschechischen Germanistik widmeten sich daneben noch der Vertiefung des Wissens über die gegenseitige Befruchtung der tschechischen und deutschen Kultur im böhmisch-mährischen Raum und über ihn hinaus und verstanden sich daher als Vermittler zwischen den beiden Kulturen. Die Generation der Gründer – Václav Emanuel Mourek[9] und Arnošt Kraus[10] – und die darauffolgende Generation ihrer Schüler, unter denen vor allem Otokar Fischer[11] sich europaweiten Ruf erwerben konnte, ließen die österreichische Literatur, darunter auch Adalbert Stifter, eher außer Acht.

Die Lage änderte sich erst in den dreißiger Jahren. Das zehnte Jubiläum der Gründung der Republik, das man 1928 beging, war für namhafte tschechoslowakische Fachleute Anlaß, ein mehrbändiges repräsentatives enzyklopädisches Werk[12] über die Tschechoslowakei, ihre Geschichte, Geographie, Gesellschaft, Wissenschaft, Politik, Literatur, Kunst, Industrie und Landwirtschaft zu verfassen, deren siebenter Band sich dem Schrifttum, darunter auch dem deutschsprachigen, widmete. In das deutschsprachige Schrifttum in der neu entstandenen Tschechoslowakei wurden alle Schriftsteller einbezogen, die mit ihrem Leben oder Werk den böhmisch-mährisch-schlesisch-slowakisch-karpatorussichen Raum streiften.

Der Aufsatz über die deutschsprachige Literatur zerfällt in zwei Teile; der erste Teil[13] befaßt sich mit der Literatur von den Anfängen bis 1848 und stammt aus der Feder von Arnošt Kraus, den zweiten Teil[14], der die Literatur seit 1848 bis in die dreißiger Jahre des 20. Jahrhunderts umfaßt, schrieb der hervorragende Essayist und Übersetzer Pavel Eisner[15], ein Schüler August Sauers, der sich zum unübertrefflichen Vermittler zwischen der tschechischen und deutschen Kultur in Böhmen emporarbeitete. In seinen zahlreichen literaturwissenschaftlichen Essays und Aufsätzen widmete er sich fast als einziger tschechischer Germanist ausschließlich der deutschböhmischen Literatur und ihrem Verhältnis zu der vorherrschenden Landesnation – den Tschechen.

In den Ausführungen seines Aufsatzes für die Enzyklopädie geht er von den sich in der zweiten Jahrhunderthälfte steigernden und in seiner Zeit wieder zu kulminieren beginnenden nationalistischen deutsch-tschechischen Auseinandersetzungen in Böhmen aus und versucht, vom proklamierten Standpunkt eines unvoreingenommenen Beobachters her, ein möglichst objektives Bild der deutschböhmischen Dichtung, oft im Widerspruch zur offiziellen Stellungnahme der deutschböhmischen Germanistik, zu liefern. Mit ausdrücklichem Bedauern stellt er fest, daß es der Nationalismus ist, der in der besagten Periode die deutschböhmische (spätere sudetendeutsche) Literatur für seine niederträchtigen Ziele gewinnen konnte, und erklärt dies damit, daß die neueren Generationen der deutschböhmischen Autoren das ursprüngliche Programm des landesweiten utraquistischen Bohemismus, das die Vormärz-Generation ihrer Vorfahren um Ebert, Meißner und Hartmann postulierte, völlig aufgaben. Den anwachsenden nationalen Antagonismus der Deutschböhmen sieht er in der fortschreitenden Konsolidierung und der mit ihr verbundenen stürmischen kulturellen, politischen und wirtschaftlichen Entfaltung des tschechischen Elements in Böhmen:

„Für dieses Schachbrett der deutschen und der Weltgeschichte existiert das Ebertsche Wort ‚Vaterland' nicht mehr, es ist mitsamt seinem Begriff aus dem Geisteslexikon ausgetilgt und durch das Wort ‚Heimat' ersetzt worden – um diese Heimat, um die deutsche Scholle in den böhmischen Ländern kämpft der hier ansässige deutsche Stamm, und dieser Kampf spiegelt sich in vielen Erscheinungen in der Literatur wider. Er kämpft in der ersten Phase im Namen der höheren Kultur, später aus der Notwendigkeit der Selbsterhaltung; mehr und mehr schöpfen die Kämpfer die moralische Stärkung aus dem Faktum einer Minderheit [...]."[16]

Der nationale Geist dieser Literatur kommt nach Eisner in den verschiedensten literarischen Formen zu Erscheinung. Die geläufigste und zugleich am mindesten gefährliche ist die Anhänglichkeit an die Natur sowie an die engere Heimat und ihre Traditionen. Von da kommt der reich verzweigte Regionalismus dieser Literatur her, in dem Eisner die Ähnlichkeit mit der tschechischen Literatur erkannte. Gemeinsam mit der tschechischen hat die deutschböhmische Literatur die Neigung zum Historismus. Der deutschböhmische Historismus erfüllt aber „in seiner schroffen Abkehr vom bisherigen Erleben der Vergangenheit, in der Umsetzung der politischen Streite und Zänke in die Vergangeheit"[17] im Gegensatz zum tschechischen seine konkrete antitschechische Sendung, indem er in diesem Wandel der Aufarbeitung der gemeinsam erlebten Vergangenheit der historischen Erzählung und dem historischen Roman „die nationale Warnung und den kämpferischen politischen Aufruf"[18] verlieh. Die helle Ausnahme in der Flut dieser Agitationsliteratur stellt nach Eisner Stifters *Witiko* dar. Nicht nur Adalbert Stifter, auch anderen großen deutschböhmischen und – mährischen Autoren wie Charles Sealsfield, Marie von Ebner-Eschenbach, geschweige denn den großen, teils jüdischstämmigen Prager Deutschen Rilke, Kafka und Werfel, die heute noch zusätzlich zu den Stützpfeilern der modernen österreichischen Literatur gerechnet werden, gelang es restlos, die Schranken des Nationalismus und Regionalismus zu durchbrechen.
Eisner bewertet Stifter durch die Optik seines großen Lehrers Sauer. Er hebt dessen Verdienste um die neue Auffassung Stifters hervor, wenn er konstatiert, erst Sauers Stifter-Forschungen hätten die längst eingebürgerte Vorstellung von diesem Dichter als „Verkörperung des nicht komplizierten, nicht leidenschaftlichen, unproblematischen dichterischen Ingeniums" widerlegt.[19] Er führt an, daß an der Wiege von Stifters Wortkunst Hand in Hand seine beachtenswerte malerische Begabung und seine pädagogischen Neigungen gestanden sind. Davon rührt die hohe Kunst dieses literarischen Landschaftsmalers her, ihnen verdankt „der landschaftliche Miniaturist" seine „aufmerksame Geduld."[20] Stifter sei ein apolitisches, zugleich aber überzeitliches Genie, in dem sich im Gegensatz zu den meisten seiner böhmischdeutschen Landsleute ‚Vaterland' und ‚Heimat' in Einheit mit der Natur und uralter Geistigkeit verkörpern, was „Ruhe und Stille, langen und tiefen Atemzug, Ausweichen den Konflikten oder besser ihrer heftigen äußeren Erscheinung"[21] in sein Werk bringt.

Eisner räumt Stifter einen festen Platz in der deutschböhmischen Dichtung ein, weist auf die Zusammenhänge und auf die Sonderstellung Stifters in der Auseinandersetzung der tschechischen und der deutschen Kultur hin, ohne wörtlich zu erwähnen, daß Stifter auch einer anderen Nationalliteratur, nämlich der österreichischen angehört. Diese Stellung läßt sich wohl aus der Tatsache erklären, daß er in der Beschreibung der Literatur bis 1918 von dem gemeinsamen

politischen Territorium der Monarchie ausgeht und die böhmischdeutsche und die alpendeutsche (österreichische) Literatur nicht strikt voneinander unterscheidet.
Ins Visier der tschechischen Germanistik geriet Stifter wieder in den dreißiger Jahren, als zwischen den einheimischen Wissenschaftlern die Diskussion um den Biedermeier-Begriff aufflammte.
Als erster ergriff Vojtěch Jirát[22] in der Diskussion das Wort, als er in einem Aufsatz[23] den neuen Epochenbegriff von Paul Kluckhohn befürwortete, sich zwar mit ihm teilweise auseinandersetzte, ihn aber trotzdem auch auf die böhmische (tschechische und deutsche) Kultur der Epoche anzuwenden empfahl, was er selber versuchte.
Daß sich um 1900 die Aufmerksamkeit breiterer intellektueller Kreise in Deutschland auf die Zeit um 1820 – zuerst auf dem Gebiet der Mode, erst später auf dem der Kunstwissenschaft[24] – richtete, ist in der Kunstgeschichtsschreibung kein Sonderfall. Auch früher unterstützten die Bemühungen um die Rückkehr in die Vergangenheit die Entwicklung der Kultur, denken wir nur an die romantische Entdeckung der Gotik hundert Jahre früher, die den bisher vorherrschenden aufklärerisch-klassizistischen Geist umbildete, an Semper, Nietzsche und Burckhardt, die der zeitgenössischen Kultur einen neuen Impuls mit ihrer Entdeckung der Renaissance gaben, oder an die Brüder Goncourt, die das Interesse ihrer Zeit für das Rokoko erweckten. Nicht allein auf die Kunst beschränkten sich solche Bewegungen, sondern sie erfaßten alle Bereiche der geistigen und materiellen Kultur. Nur die Literaturwissenschaft hinkte diesen Neuerungen mühsam hinterher. Sie arbeitete immer noch mit den Postulaten des Positivismus, wie sie die Anhänger der Scherer-Schule betrieben, und befaßte sich überwiegend mit Goethe und anderen als klassisch eingestuften Schriftstellern. Erst später, als sich die geisteswissenschaftliche Methodik durchsetzte, wandte sie sich der Romantik und dem Barock zu. Auf die Erschließung der Vormärz-Epoche, die mit dem neu geprägten Begriff „Biedermeier" einherging, ließ sie sich erst relativ spät ein. Als 1927 Paul Kluckhohn, damals Germanist an der Wiener Universität, den Begriff des literarischen Biedermeier[25] entwickelte, „stand er unter dem Einfluß des Hofmannsthal-Kreises, mit seinem Ideal der ‚konservativen Revolution'. Er glaubte, das Biedermeier aus den konkreten geschichtlichen Verhältnissen der Restaurationszeit herauszulösen und, nach dem Muster der Klassik, sozusagen verewigen zu können".[26] Die Biedermeierforschung wurde im Stil der neuen „Geistesgeschichte" abstrakter und löste sich von der stilgeschichtlichen Anschauung der Kunstgeschichte ab. Die Tradition, welche sich als „konservative Revolution" aktualisierte, trug die Erinnerung an die gute alte Zeit weiter. Kluckhohns Schüler Wilhelm Bietak und nach ihm Gustav Weydt und Rudolf Majut banden daraufhin österreichische und schwäbische Autoren zusammen (Franz Grillparzer, Ferdinand Raimund, Johann Nepomuk Nestroy, Adalbert Stifter, Eduard Mörike), bildeten aus ihnen eine selbständige Gruppierung heraus und nannten sie „Biedermeier". Von Anfang an erklärten sie diese zum Gegenpol des „Jungen Deutschland" und datierten ihre Dauer von 1820 bis 1850.
Jirát hielt mit Vorbehalt[27] die Herausbildung einer neuen Epoche für glücklich und fruchtbar, sprach sich aber wegen eines ähnlichen geschichtlichen Verlaufs in Böhmen für die Anwendung des Begriffs auch auf die tschechische Literaturforschung zu dieser Epoche aus.[28] Im Sinne seiner pädagogischen Orientierung (Jirát war Gymnasiallehrer und Privatdozent der Neueren deutschen Literatur an der tschechischen Germanistik in Prag) charakterisiert er die Hauptmerkmale der neu herausgebildeten Strömung[29] und betont, daß die Kunst und Literatur der Epoche hauptsächlich auf den Widerspruch zwischen Ideal und Wirklichkeit reagiere, wobei sie im Prinzip einen Kompromiß zwischen diesen beiden Polen anstrebe, oder aber vor der Erfüllung der Forderungen des Ideals auf der einen und der gelebten Wirklichkeit auf der anderen Seiten völlig resigniere. Die Kunst verlangt Maß, lehnt Übertreibung sowohl im Dienste des Ideals als auch der Wirklichkeit ab, mißtraut den Tatkräftigen (Napoleon ist gescheitert), legt Wert auf Tradition, Religion, Demut vor den überpersönlichen Mächten, familiäre Bindungen und gesell-

schaftlichen Verkehr im Freundeskreis, bevorzugt Bescheidenheit, stilles Walten der Natur und Unterstellung des Menschen unter ihre Gesetze. In diesem Zusammenhang weist er ausdrükklich auf Stifters Vorwort zu den *Bunten Steinen*[30] hin. Mit Eisner stimmt Jirát überein, wenn er das Hauptmerkmal des böhmischen Biedermeier tschechischer sowie deutscher Provenienz in der konkreten, patriotischen Vorstellung von der engeren Heimat sieht: „Die Heimat verstand man äußerst konkret [...]: sie ist das Heim, das Land unserer Eltern und Großeltern, Wiesen und Wälder, sie ist das Dorf, wo einer geboren wurde und seine selige Kindheit verbrachte".[31] Diese nationale Idee des Patriotismus, von den beiden Völkern in Böhmen übernommen, auf der deutschen Seite leider später bis zur nationalistischen Verzerrung entstellt, kennzeichnet das böhmische Biedermeier und unterscheidet es von dem sonst verwandten österreichischen Biedermeier der Alpenländer. Adalbert Stifter war einer der wenigen deutschböhmischen Autoren dieser Zeit[32], der der nationalistischen Verzerrung nicht verfiel und dem utraquistischen Landespatriotismus nie abschwor.[33]

Eine germanistische Arbeit über die Problematik des Biedermeier, in der nicht mehr wie bei Eisner oder Jirát böhmische oder tschechische Konnotate berücksichtigt wurden, legte der tschechische, an der slowakischen Comenius-Universität in Bratislava tätige Germanist Stanislav Sahánek vor.[34]

In seinem zweiteiligen Bändchen analysiert er im ersten Teil die Begriffsbestimmung der Epoche – ihre Bezeichnung, ihre Merkmale, vorherrschende literarische Formen, ihre idelle Abgrenzung von der vorangegangenen Epoche, das gegenseitige Verhältnis ihrer einzelnen Kulturkomponenten – und im zweiten Teil geht er zur Untersuchung von drei repräsentativen Dichterpersönlichkeiten der Epoche, Eduard Mörike, Franz Grillparzer und Adalbert Stifter, über. Sahánek unterwirft die Aufbaustruktur seines Textes dem wissenschaftlich-kritischen Vorhaben, das Biedermeier als komplette, durch wissenschaftliche Diskussionen durchaus festgelegte Erscheinung vorzustellen. Er mischt sich nicht in die laufende interne bohemistische Diskussion ein, sondern stellt nur fest, daß der Biedermeier-Begriff trotz der nachgewiesenen Ähnlichkeit des tschechischen Biedermeier mit dem österreichischen eher in seiner abschätzigen Bedeutung benützt wird[35], und daß man ihn, wenn überhaupt, nur an die harmlose loyale Verseschreiberei der tschechischen „nationalen Wiedergeburt" anwendet.

Sahåneks Werk ist die einzige tschechische germanistische wissenschaftliche Arbeit, die sich mit Adalbert Stifters Leben und Werk monographisch beschäftigt. In den beiden Kapiteln, die dem Dichter gewidmet sind, geht Sahánek von den Prämissen der Biedermeierforschung aus. Im biographischen Kapitel *Stifters Lebenstragödie*[36] stellt er ihn als einen scheinbar ruhigen Mann dar, der unter der aufgesetzten Maske eine tief tragische Persönlichkeit verbarg. Die Maske half ihm, vor der Welt und vor sich selbst den Konflikt zuzudecken, der in seinem Innern kochte und für sein Leben und Werk entscheidend war – der Konflikt zwischen der leidenschaftlichen, unerfüllten und der resignierenden Liebe, die ihn durch sein Leben begleitete: „Sein ganzes Leben lang verbarg und bestritt Stifter seine heftigen Leidenschaften und Gefühle und schloß sie in die Tiefe seiner Seele ein. Er bekämpfte aber seine Leidenschaft zu lange, bis sie in jener Selbstmordnacht ausbrach; an diese Übertreibung, diese bis zum Äußersten getriebene Negation ging er zugrunde".[37] Den klassischen biedermeierlichen Widerspruch zwischen Ideal und Wirklichkeit mußte der großen Dichter selber erleben, um so fester lehnte er sich an das proklamierte Ideal des harmonischen Menschen an, dem er in seinem Werk die wichtigste Stelle zudachte. Stifter habe, Sahánek zufolge, mit seiner erzieherischen Epik, der er sich im zweiten Kapitel widmet, am meisten zum geschlossenen literarischen Stil des Biedermeier beigetragen. Natur und Geschichte, wie aus den Analysen von *Feldblumen*, *Der Hochwald*, *Granit*, aber vor allem von *Der Nachsommer* und *Witiko*, den Gipfelleistungen des Biedermeier, hervorgeht, „stellen hier die von Gott gegebene, von Ewigkeit her bestehende Ordnung dar, die in den Dingen und durch die Dinge waltet. Sie ist durch die Dinge einmal gegeben und ausgesprochen, und der Mensch hat sich nur

in sie einzugliedern".[39] Stifter ist ein pädagogischer Humanist, dem in seinem Werk die Erziehung durch die Kunst zur Vervollkommnung des Lebens zum Ideal wurde. Das macht aus ihm den größten Dichter des Biedermeier.
Die tschechische Germanistik erschloß sich also Stifter mit der wissenschaftlichen Diskussion über das Biedermeier. Die wissenschaftliche Beschäftigung mit seinem Werk nahm allmählich zu, in den späten dreißiger und in den vierziger Jahren erschienen über ihn und sein Werk mehrere Zeitschriften- und Zeitungsartikel.[40]

III.

Zum Gegenstand der systematischen wissenschaftlichen Forschung in den böhmischen Ländern wurde Stifters Leben und Werk zuerst bei den deutschen Germanisten. Große Verdienste machte sich auf diesem Forschungsfeld vor allem August Sauer, der die Ausgabe der *Sämmtlichen Werke* Adalbert Stifters initiierte und sie bis zu seinem Tode betreute. Dieses einzigartige Vorhaben vollendeten dann seine Schüler. Die tschechische Germanistik, die ihre Prioritäten in der Erforschung der böhmisch-deutschen Wechselbeziehungen sah, entdeckte Stifter erst, nachdem die geisteswissenschaftliche Methode den Positivismus ablöste und die tschechische wissenschaftliche Öffentlichkeit über den Biedermeier-Begriff zu diskutieren begann. Pavel Eisner schätzte bei Stifter seinen national unvoreingenommenen Blick auf seine Heimat, Vojtěch Jirát setzte ihn in breitere Zusammenhänge des Biedermeier, Stanislav Sahánek hob ihn in monographischen Kapiteln seines Werkes über das Biedermeier in der deutschen Dichtung als dessen größten Vertreter unter allen österreichischen und süddeutschen Autoren hervor.

1 In diesem Überblick über die Stifter-Aktivitäten in Böhmen um die Jahrhundertwende stütze ich mich auf Ausführungen im verdienstvollen Aufsatz *Adalbert Stifters Rezeption in den böhmischen Ländern* von Václav Maidl, der mir das Manuskript freundlicherweise zur Verfügung gestellt hat.

2 Zu August Sauer siehe auch den Beitrag von Peter Becher in diesem Band; weiters den Beitrag von Milan Tvrdík: *August Sauer*. In: *Germanistik in den böhmischen Ländern im Kontext der europäischen Wissenschaftsgeschichte*, hrsg. von Milan Tvrdík und Lenka Vodrážková-Pokorná. Wuppertal 2006, S. 185-193; zur deutschen Germanistik in Prag allgemein siehe auch die Diplomarbeit von Ivana Mayerová: *Germanistik an der Prager Universität im 19. Jahrhundert*. Prag 1974.

3 Otto Stoessls (1875-1936) *Stifter. Eine Biographie* (1902) und Alois Raimund Heins (1852-1937) *Stifter. Sein Leben und seine Werke* (1904). Hein, der 1918 die „Adalbert Stifter-Gesellschaft" gründete, begann in den letzten Jahrzehnten des 19. Jahrhunderts alle Erinnerungen der Zeitgenossen (darunter des Verlegers Heckenast oder der Witwe Stifters) an Stifter zu sammeln. Das Manuskript lehnten über 30 Verleger ab und es blieb jahrzehntelang unvollendet.

4 Vgl. Maidl (Anm. 1), S. 2.

5 Der 14. Band *Vermischte Schriften – Erste Abteilung*, der die Kunstschriften Stifters enthält, wurde schon 1901 herausgegeben.

6 Wilhelm Kosch verteidigte in Prag 1905 seine Arbeit *Adalbert Stifter und die Romantik*, Franz Hüller (1885-1967) führte nach dem Tod Sauers die Stifter-Ausgabe zu Ende und befaßte sich wissenschaftlich mit Stifters *Witiko: Adalbert Stifters „Witiko". Eine Deutung* (1930), *Adalbert Stifters „Witiko". Entstehung und Wirkung* (1932).

7 Dieser Verlag druckte zu dieser Zeit auch die bedeutenden *Prager deutsche Studien*, in deren 43. Heft 1928 die ausgezeichnete Arbeit von Otto Pouzar, *Ideen und Probleme in Adalbert Stifters Dichtungen*, erschienen ist.

8 Ihre ersten Veröffentlichungen waren Franz Hüllers *Adalbert Stifters „Witiko"* (1930) und *Die Landschaft in der Dichtung Adalbert Stifters* von Frank Matzke (1931).

9 Václav Emanuel Mourek (1846-1911). Begründer der tschechischen Germanistik, 1888 zum ersten tschechischen

Professor der Deutschen Sprache und Literatur ernannt, befaßte sich überwiegend mit der altgermanischen Sprachwissenschaft. Er war auch ein hervorragender Anglist.

[10] Arnošt Vilém Kraus (1859-1943). Ab 1898 Professor der Deutschen Sprache und Literatur an der tschechischen Karls-Universität; er arbeitete auf dem Gebiet der deutsch-böhmischen Kultur- und Literaturbeziehungen (Hussitismus in der deutschen Literatur, Goethe und Böhmen). Außerdem baute er die tschechische Skandinavistik auf.

[11] Otokar Fischer (1883-1938). Ab 1917 Professor der Deutschen Sprache und Literatur an der tschechischen Karls-Universität. Er widmete sich vor allem Goethe, den er kongenial übersetzte, seine wissenschaftlichen Monographien über Heinrich von Kleist, Friedrich Nietzsche und Heinrich Heine gehören zu den Spitzenleistungen der tschechischen Germanistik. Brigitta Wolfová führt in ihrer umfangreichen zweiteiligen Diplomarbeit über Leben und Werk dieses bedeutenden tschechischen Germanisten zu seinem Verhältnis zu Stifter bloß an, daß sich im Nachlaß 19 Blätter mit den biographischen und bibliographischen Angaben zu Stifter befinden, wohl aber als Unterlagen zu Fischers Vorlesungen an der Universität. Vgl. Brigitta Wolfová: *Das germanistische Werk Otokar Fischers. II. Teil (seit dem Jahr 1919)*. Praha: FF UK, 1960/61. Anhang, S. 37.

[12] *Československá vlastivěda* [Tschechoslowakische Landeskunde]. 13 Bände (davon zwei Ergänzungsbände und ein Registerband), Praha 1929-1936.

[13] Arnošt Kraus: *Německá literatura na půdě Československé republiky. Do roku 1848* [Deutsche Literatur auf dem Gebiet der Tschechoslowakischen Republik. Bis 1848]. In: *Československá vlastivěda*. Praha 1933, S 297-324.

[14] Pavel Eisner: *Německá literatura na půdě Československé republiky. Od r. 1848 do našich dnů* [Deutsche Literatur auf dem Gebiet der Tschechoslowakischen Republik. Seit 1848 bis in unsere Tage]. In: *Československá vlastivěda*. Praha 1933, S. 325-377.

[15] Pavel Eisner (1889-1958), Übersetzer, Essayist und Literaturkritiker, widmete sich in den Essays der deutschsprachigen Literatur aus den böhmischen Ländern; übersetzte aus mehreren Sprachen.

[16] „Pro tuto šachovnici německých a světových dějin není již Ebertova slova ‚Vaterland', je vyhlazeno z duševního slovníku spolu se svým pojmem a nahrazeno slovem ‚Heimat' – o tuto domovinu, o německou hroudu v českých zemích bojuje německý kmen v nich usedlý, a tento boj se mnohými jevy odráží v literatuře. Bojuje se zprvu jménem vyšší kultury, později z nutnosti sebezáchovy; víc a víc plyne bojovníkům mravní posila z fakta menšinového". (Eisner [Anm. 14], S. 325).

[17] „[...] v nejprudším odklonu od dosavadního prožívání minulosti [...], v průmětu politických svárů a půtek do minulosti". (Eisner [Anm. 14], S. 326).

[18] „[...] varovnou nacionální výstrahou a bojovnou politickou výzvou [...]". (Eisner [Anm. 14], S. 326).

[19] „vtělení básnického ingenia nesložitého, nevášnivého, neproblematického". (Eisner [Anm. 14], S. 330).

[20] „pozorn[ou] trpělivost krajinářského miniaturisty". (Eisner [Anm. 14], S. 331).

[21] „klid a ticho, dlouhý a hluboký dech, obcházení konfliktů či lépe jejich prudkého vnějšího projevu". (Eisner [Anm. 14], S. 331).

[22] Vojtěch Jirát (1902-1945). Germanist und Bohemist, Gymnasiallehrer und Privatdozent an der tschechischen Karls-Universität; er befaßte sich mit der vergleichenden Literaturwissenschaft insbesondere zwischen der deutschen und tschechischen Literatur.

[23] Vojtěch Jirát: *Český a německý biedermeier* [Tschechisches und deutsches Biedermeier]. In: *Střední škola* 17 (1936-37), Nr. 5, S. 285-287. Aufgenommen in: Vojtěch Jirát: *Portréty a studie* [Portraits und Studien]. Praha 1978, S. 545-547.

[24] Auf die Malerei der Biedermeierzeit im Zusammenhang mit der Jahrhundertausstellung machte schon 1906 Joseph August Lux in *Von der Empire – zur Biedermeierzeit* aufmerksam; eine kulturgeschichtliche Darstellung der Zeit lieferte 1911 Max von Boehm in *Biedermeier. Deutschland von 1815-47*; die Gedichte des Schulmeisters Biedermaier, des von Friedrich Eichrodt und Adolf Kußmaul erfundenen Namens, der der Epoche die Bezeichnung gab, erschienen auch 1911; 1913 folgte die Anthologie *Das Biedermaier im Spiegel seiner Zeit*.

[25] Paul Kluckhohn: *Die Fortwirkung der deutschen Romantik in der Kultur des 19. und 20. Jahrhunderts*. In: *Zeitschrift für deutsche Bildung*. Bd. 4 (1928), S. 57-69.

[26] Friedrich Sengle: *Biedermeierzeit. Deutsche Literatur im Spannungsfeld zwischen Restauration und Revolution 1815-1848*. Bd. 1. Stuttgart 1971, S. 120.

[27] „V prvním opojení z objevu se poněkud přehánělo a anektovali se i spisovatelé, jež k ‚biedermeieru' můžeme počítat jen s velkou opatrností" [Im ersten Rausch aus der Erfindung übertrieb man öfters, und man annektierte auch Autoren, die dem Biedermeier nur mit äußerster Vorsicht zugezählt werden können]. (Jirát [Anm. 23], S. 545).

[28] Vgl. auch seinen französischen Beitrag zu dieser Problematik: Vojtěch Jirát: *Le rôle du „Biedermeier" dans la réveil national tchèque*. In: *L' Europe central* 12 (1937), Nr. 1, S. 10-12.

[29] Dabei zeigt sich, wie Jirát mit der Fachliteratur zum Thema (Wilhelm Bietak: *Das Lebensgefühl des „Biedermeier" in der österreichischen Dichtung*. Wien 1931; Rudolf Majut: *Das literarische Biedermeier. Aufriß und Probleme*. In: *Germanistisch-Romanistische Monatshefte* 20 [1932], S. 401-424; die Diskussionen über das Biedermeier 1935 in den Zeitschriften *Dichtung und Volkstum* und *Deutsche Vierteljahrsschrift*) vertraut war.

[30] Zu Stifters *Bunten Steinen* äußerte er sich schon in der Rezension zur deutschen Auflage des *Bergkristall* für den Deutschunterricht an tschechischen Gymnasien. Vojtěch Jirát: *Adalbert Stifter: Bergkristall*. In: *Střední škola* 12 (1931/32), Nr. 3, S. 143.

[31] „Vlast je chápána nanejvýš konkrétně [...]: je to domov, země našich rodičů a prarodičů, jsou to luhy, háje, vesnička, kde se člověk narodil a kde trávil svůj blažený dětinský věk". (Jirát [Anm. 23], S. 546).

[32] Jirát erweitert die Zeitperiode des Biedermeier weit über das Jahr 1848 hinaus. Er argumentiert, daß die monumentalen Werke, die der Epoche zuzurechnen sind (Stifters *Bunte Steine*, *Der Nachsommer*, *Witiko*), noch in den fünfziger und sechziger Jahren des 19. Jahrhunderts erschienen sind. Er gibt aber zugleich zu, daß das Biedermeier in dieser Periode allmächlich an Tatkraft zu verlieren anfing, vor allem durch den mächtigen Auftritt des Realismus. (Vgl. Jirát [Anm. 23], S. 547).

[33] Siehe auch den Beitrag von Hana Šmahelová über Stifters *Witiko* in diesem Band.

[34] Stanislav Sahánek: *Literární biedermeier v německém písemnictví* [Das literarische Biedermeier in der deutschen Dichtung]. Spisy Filosofické fakulty University Komenského v Bratislavě Nr. XXVI. Bratislava 1938.

[35] Als Beleg zitiert Sahánek aus der deutsch verfaßten *Tschechischen Literatur* von Arne Novák (Potsdam 1932, S. 44): „Größtenteils sind es Professoren, Priester, Beamte, im Beruf sicherlich tüchtige, im öffentlichen Leben opferbereite Männer, denen weder die biedermeierische Engherzigkeit noch die vormärzlichen Verhältnisse unerträglich werden; mit heimlich geballter Faust politisieren sie bei geschlossenen Türen panslavistisch und verfassen dann wieder loyale Gedichte auf das Kaiserhaus".

[36] Vgl. „Stiftrova životní tragedie". In: Sahánek [Anm. 34], S. 41-43.

[37] „Stifter po celý život skrýval a potíral prudkost svých vášní a citů, uzavíraje vše v hloubce duše. Ale potíral svou vášeň příliš dlouho, v oné sebevražedné noci elementárně propukla; sám tímto přeháněním, touto negací, hnanou do zámezí, zašel". (Sahánek [Anm. 34], S. 43).

[38] Vgl. „Stiftrova výchovná epika" [Stifters erzieherische Epik].In: Sahánek [Anm. 34], S. 43-48.

[39] „[...] znamenají zde Bohem daný pořádek, odvěký řád, který tu působí ve věcech a skrze věci. Je jimi jednou jasně dán a vysloven, a člověk se má toliko do něho včlenit". (Sahánek [Anm. 34], S. 47).

[40] Hierzu möchte ich auf zwei Aufsätze von Alois Hofman, der sich seit den sechziger Jahren mit Stifters Rezeption in Böhmen und in der Tschechoslowakei befaßte, hinweisen: *Adalbert Stifter im Spiegel der tschechischen Kritik*. In: *VASILO* 17 (1968), F. 4, S. 255-262; *Die Rezeption des Werkes Adalbert Stifters im tschechoslowakischen Raum*. In: *VASILO* 33 (1984), F. 3/4, S. 115-121. Weiters verweise ich auf den materialreichen Beitrag von Václav Maidl, der sich mit der tschechischen und böhmischdeutschen Rezeption Stifters auseinandersetzt: *Stifters Rezeption in den böhmischen Ländern*. In: *Adalbert Stifter. Dichter und Maler, Heimatpfleger und Schulmann. Neue Zugänge zu seinem Werk*, hrsg. von Hartmut Laufhütte und Karl Möseneder. Tübingen 1996, S. 527 - 537

ZU DEN ÜBERSETZUNGEN DER WERKE ADALBERT STIFTERS INS TSCHECHISCHE
Insbesondere zu den Neuesten

JIŘI MUNZAR

1.

Der vorliegende Beitrag ist den Übersetzungen der Werke Adalbert Stifters ins Tschechische gewidmet; insbesondere denen, die in den letzten Jahrzehnten herausgegeben wurden. Er wird am Ende durch ein vom Verfasser zusammengestelltes Verzeichnis der tschechischen Übersetzungen der Werke Stifters ergänzt.

2.

Adalbert Stifter ist im Jahre 1868 in Linz gestorben. Und noch sechs Jahre vor seinem Tod, im Jahre 1862, ist die erste tschechische Übersetzung des *Hochwald* in der renommierten Literaturzeitschrift *Lumír* erschienen, in sieben nacheinander folgenden Nummern. Sie war aus der Feder von Roman Václav Voříšek, des Schlosskaplans in Zinkau (Žinkovy) in Südwestböhmen.
Es dauerte aber mehr als vierzig Jahre, bis die erste tschechische Buchübersetzung eines Werkes von Stifter herausgegeben wurde. Es war *Bergkristall* im Jahre 1906. Dann allerdings sind im 20. Jahrhundert 19 Buchübersetzungen erschienen, was nicht wenig ist, und im 21. Jahrhundert weitere 9.
Wo sind die Ursachen dieser Verspätung zu suchen? Warum ist die erste tschechische Buchübersetzung erst im Jahre 1906 veröffentlicht worden?
Ein erster und wichtiger Grund liegt darin, dass im 19. Jahrhundert, insbesondere in der ersten Hälfte, jeder gebildete Tscheche fähig war, auf Deutsch zu lesen. Wenn man ins Tschechische übersetzte, wie z. B. Josef Jungmann (1773-1847), wollte man damit primär beweisen, dass die tschechische Sprache sich mit anderen Kultursprachen messen konnte. In der zweiten Hälfte des 19. Jahrhunderts änderte sich allmählich die Situation, aber erst seit ungefähr 1900 erfüllten die Übersetzungen aus dem Deutschen ebenfalls die praktische Aufgabe: denjenigen, die Deutsch nicht verstehen konnten, sollten sie die deutschsprachige Literatur vermitteln. Dazu kam noch, in der zweiten Hälfte des 19. Jahrhunderts, die Tatsache, dass die anderen Weltliteraturen bevorzugt wurden, manchmal demonstrativ, was z. B. die ungemein intensive Rezeption Shakespeares zeigt. (Auch wenn die Shakespeare-Mode über Deutschland kam ähnlich wie es bei Jungmann mit Milton war.)
Wir dürfen allerdings nicht vergessen, dass man Stifter auch im deutschsprachigen Milieu damals eher vernachlässigt hat; er wurde häufig als ein Regionalschriftsteller betrachtet. Und so entsprechen die ersten Übersetzungen ins Tschechische in Buchform nach 1900 zeitlich der Stifter-Renaissance im deutschen Kontext. – Hier muss natürlich der Prager Germanist Professor August Sauer erwähnt werden.[1]

3.

Und nun zur Chronologie und zur Periodisierung der Übersetzungen: Den Beginn des 20. Jahrhunderts und die 20er Jahre kann man als die erste Phase bezeichnen. In der zweiten Phase, in den 30er und 40er Jahren, beteiligen sich an den Übersetzungen einige angesehene Übersetzer

und auch renommierte Verlage. Die Entwicklung nach dem 2. Weltkrieg, nach der Verstaatlichung des Verlagswesens, könnte man als die dritte Phase bezeichnen.
Im Folgenden werden wir uns vor allem den bedeutendsten Stifter-Übersetzern und Herausgebern widmen. (Konkrete Daten findet man in der schon erwähnten Bibliographie.) Beginnen wir mit Bohuslav Reynek, der für die bibliophile Edition des Verlages Atlantis in Brünn den *Waldgänger* übersetzte. Bohuslav Reynek (1892-1971) war ein großer Dichter und Graphiker – er machte vor allem Radierungen und hat auch die Übersetzung mit einem graphischen Blatt versehen – , der auch aus dem Deutschen und aus dem Französischen übersetzte. (Seine Frau war eine französische Dichterin.) Er war der erste tschechische Trakl-Übersetzer: seine erste Trakl-Übersetzung ist im Jahre 1917 erschienen. Wahrscheinlich war das die erste Übersetzung Trakls überhaupt. Reynek betätigte sich als Berater des Brünner Verlegers Jan V. Pojer, der die erwähnte Edition *Atlantis* herausgab. In demselben Atlantis-Verlag sind auch die *Feldblumen* erschienen.
Das Haidedorf ist bei Josef Florián erschienen. Florián war eine große Gestalt der katholischen Erneuerung in Böhmen (renouveau catholique), für viele ein Sonderling, der mit seiner großen Familie in einem Dorf lebte und „gute Bücher", wie er zu sagen pflegte, herausgab. (U. a. hat er eine der ersten Übersetzungen von Franz Kafka ins Tschechische veröffentlicht.) Er hatte seinen Kreis der ständigen Mitarbeiter, zu denen auch der Stifter-Übersetzer František Pastor gehörte. Floriáns Sohn, Michael Florián, illustrierte mit Holzschnitten zwei Stifter-Übersetzungen (*Das Haidedorf* und *Bilder*).
Der nächste wichtige Übersetzer Stifters der ersten Hälfte des 20. Jahrhunderts war Bohuslav Durych (1896-1969), ein jüngerer Bruder des berühmten katholischen Romanciers Jaroslav Durych, des Verfassers mehrerer Werke über Wallenstein, den auch Thomas Mann sehr schätzte. Bohuslav Durych hat den *Hagestolz* übersetzt und eine größere Auswahl, die größte in der ersten Hälfte des 20. Jahrhunderts, die er mit einem langen Vorwort begleitet hat. Als Kuriosum möchte ich seine Übesetzung einer Skizze von Stifter aus dem Sammelband *Wien und die Wiener* (1844) erwähnen, in der die Katakomben unter dem Stephansdom geschildert werden (*Ein Gang durch die Katakomben*).
Alle die genannten Übersetzer und Editoren waren eindeutig katholisch orientiert (Reynek, Florián, Pojer, Durych). – Die katholisch orientierte Literatur und Essayistik erlebte in der Zwischenkriegszeit einen Boom, man könnte viele berühmte Namen nennen. – Das durchschnittliche Niveau der Übersetzungen war sehr hoch, was auch darauf zurückgeführt werden kann, dass es sich in den meisten Fällen nicht nur um Brotarbeit handelte.

4.

Wie war die Situation nach dem 2. Weltkrieg bzw. nach dem kommunistischen Putsch im Jahre 1948? Das Verlagswesen wurde verstaatlicht, die Existenz der kleinen Verleger ist praktisch unmöglich geworden, und es entstanden einige große Verlagshäuser, wie z. B. Odeon. Alles wurde zentralisiert. Diese Maßnahmen haben allerdings auch etwas Positives mit sich gebracht: das durchschnittliche Niveau der Übersetzungen, das schon vor dem Krieg ziemlich hoch war, ist noch höher geworden.
Von den Stifter-Übersetzern der zweiten Hälfte des 20. Jahrhunderts sind vor allem drei zu nennen: Jitka Fučíková (1903-1987), die Gattin des hervorragenden Essayisten katholischer Orientierung Bedřich Fučík (1900-1984), eine ausgezeichnete Übersetzerin aus dem Deutschen (u. a. übersetzte sie die gesammelten Märchen der Gebrüder Grimm und Thomas Mann). Dann Ladislav Heger (1902-1975), Altgermanist und Nordist, der nach dem Kriegsende der Kollaboration mit den Nazis bezichtigt wurde, und zwar nur aufgrund seiner Broschüre *Německý jazyk v Evropě*

(Deutsche Sprache in Europa) aus dem Jahre 1941. Ladislav Heger, dessen Bruder ein katholischer Alttestamentler und Übersetzer aus dem Hebräischen war, war ein hervorragender Übersetzer aus dem Altisländischen, der lange politisch verfolgt war. Und Anna Siebenscheinová, die Witwe des Germanisten Hugo Siebenschein, der nach dem 2. Weltkrieg Professor an der Karlsuniversität war, eine erfahrene Übersetzerin.
Die Auflagen in der Nachkriegszeit waren meistens sehr hoch (über 10 000) und die Vor- oder Nachworte waren auf einem hohen Niveau.

5.

Im 21. Jahrhundert bereitete man sich von Anfang an auf das Stifter-Jubiläum im Jahre 2005 (200. Geburtstag) vor. Es erschienen einige Neuauflagen (Heger), einige mit gewissen Problemen: z. B. *Vítek* (Witiko) im Verlagshaus MOBA ohne Angabe des Übersetzers und ohne Genehmigung der Besitzer der Rechte, und dazu noch ziemlich naiv und barbarisch gekürzt. Es war die Übersetzung des *Witiko* von Jitka Fučíková aus dem Jahre 1953, die man auf solche Weise neugedruckt und gekürzt hat.
Im Prager Verlagshaus Vitalis wurden bisher 7 neue Übersetzungen von Hanuš Karlach herausgegeben.

6.

Zu den neuesten Übersetzungen, die im Vitalis-Verlag herausgegeben wurden, ist Folgendes zu sagen: Hanuš Karlach ist einer der renommiertesten Übersetzer aus dem Deutschen, u. a. hat er Franz Werfel und Günter Grass ins Tschechische übertragen. Als Lektor des Verlagshauses Odeon hat er im Jahre 1968 die erste tschechische Übersetzung des *Nachsommer* von Jitka Fučíková betreut.
Was ist für die Übersetzungen Karlachs charakteristisch, wie unterscheiden sie sich von den älteren? Vergleichen kann man sie vor allem mit den Übertragungen von Jitka Fučíková und Anna Siebenscheinová aus den 60er und 70er Jahren des 20. Jahrhunderts. Die neuen Übertragungen der Werke Stifters aus der Feder von Hanuš Karlach wirken auf den ersten Blick in mancher Hinsicht manieristisch. Häufig wählt er ungewöhnliche Ausdrücke oder Konstruktionen.
Ein paar konkrete Beispiele aus *Bergkristall* seien hier erlaubt:

Stifter: „Geschenke des Heiligen Christ", Karlach: „dárky Ježíše Krista", Siebenscheinová: „dárky od Ježíška".
Stifter: „welche Gegend auf den Hals führe", Karlach: „která (že) končina vede na šíji", Siebenscheinová: „který směr vede na sedlo".
Stifter: „wo die Sonne am schiefsten gegen unsere Gefilde steht", Karlach: „kdy slunce tkví vůči poli nejkoseji", Siebenscheinová: „kdy slunce vysílá nejšikmější paprsky na naši zemi".
Stifter: „[Diese Häuser] ... bergen auch noch diejenigen Handwerker in ihrem Schoße", Karlach: „mají ve svých útrobách nejedno řemeslnictví", Siebenscheinová: „nýbrž bydlí v nich i ti řemeslníci".
Stifter: „Felderzeugnisse", Karlach: „výdobytky z pole", Siebenscheinová: „polní plodiny".
Stifter: „alle Bergfelder, die um diese Gipfel herumlagern", Karlach: „všechna horská pole, která táboří kolem těchto vrcholků", Siebenscheinová: „všechna horská pole, jež se rozkládají kolem vrcholu".

Und einige weitere Beispiele aus dem *Condor*:

Stifter: „den leisen heissen Schmerz", Karlach: „neokázalý, leč sálavý žal", Siebenscheinová: „tichou horoucí bolest".
Stifter: „ein langer Herr", Karlach: „jeden pán zvící bidla", Siebenscheinová: „nějaký dlouhý pán".
Stifter: „sie machten mich betroffen", Karlach: „koprněl jsem nad nimi", Siebenscheinová: „užasl jsem nad nimi",
Stifter: „Stolz", Karlach: „hrdopyšnost", Siebenscheinová: „hrdost".

Das sind allerdings keine nur mit Mühe gefundenen Beispiele. Solche und ähnliche wortwörtliche, expressive und manchmal archaisierende Äquivalente sind in allen Übertragungen Karlachs gang und gäbe.; z. B. findet man im *Hochwald* mehrmals solche veraltete Formen wie „kdyžtě", „posléze" oder „žel".
Ein anderes charakteristisches Merkmal seiner Übersetzungen ist sein Umgang mit den Eigennamen und Ortsnamen und einigen Termini, die er systematisch ins Tschechische übersetzt. So übersetzt er z. B. „Pfingsten" als „Svatoduší", „Sanna" als „Zuzka", „Berg Gars" als „Dopek" (*Bergkristall*). Im *Nachsommer* werden praktisch alle Ortsnamen übersetzt: „Asperhof" als „Strázný dvůr", „Sternenhof" als „Hvězdný dvůr", „Rohrberg" als „Rákosec".
Die Übertragungen Karlachs haben eine klare Konzeption. Wie schon angedeutet, tendieren sie zu Expressivität und zu Archaismen, und manchmal gewinnt man den Eindruck, dass sie um jeden Preis originell sein wollen.

7.

Zum Schluss noch einige Bemerkungen: Während in der Zwischenkriegszeit (1918-1939) viele Übersetzungen der Werke Stifters in bibliophilen Editionen herausgegeben wurden, waren nach dem 2. Weltkrieg die Auflagen sehr hoch: z. B. *Die Mappe meines Urgroßvaters* (1959) 15 000 Exemplare, *Witiko* (1953) 10 400 Exemplare, der große Auswahlband *Bergkristall* (1978) 12 000 Exemplare, u. a. m. Das war aber im damaligen Kontext nichts Besonderes, denn man hat damals mehr gelesen. Die Vor- oder Nachworte waren meistens auf einem sehr hohen Niveau. Ihre Verfasser gehörten zu den besten tschechischen Germanisten.
Wie ist die Lage heute? Der tschechische Leser hat jetzt praktisch alle bedeutenden Werke Stifters zur Verfügung. (Es fehlen z. B. noch *Kalkstein*, *Turmalin* oder *Der Waldbrunnen*). Die am meisten übersetzten Werke Stifters sind eindeutig *Der Hochwald* (5 mal), *Bergkristall* (5 mal) und *Das Haidedorf* (4 mal). Die Nachfrage ist zur Zeit ziemlich groß, in den Antiquariaten sind die Werke Stifters eher eine Seltenheit.

Bibliographie der tschechischen Übersetzungen von Stifters Werken

Die folgende Bibliographie besteht mit einer Ausnahme (1862) nur aus Buchausgaben

1862 *Vysoký les* (Der Hochwald). Übersetzt von Roman Václav Voříšek. Zeitschrift Lumír 12, S. 27-33.

1906 *Křišt'ál* (Bergkristall). Übersetzt von J. Satoranský. Laichter. Praha.

1908 *Žula* (Granit). Übersetzt von V. Schwing. Hradec Králové.

1919 *V srdci pralesa* (Der Hochwald). Praha.
1926 *Vítek* (Witiko). Übersetzt von Milena Illová. Praha.
1929 *Hrad bláznů* (Die Narrenburg). Übersetzt von F. Stolzová. Praha.
1935 *Lesní poutník* (Der Waldgänger). Übersetzt von Bohuslav Reynek. Atlantis. Brno.
1939 *Starý mládenec* (Der Hagestolz). Übersetzt von Bohuslav Durych. Velehrad. Olomouc.
1940 *Vesnička na suchopáru* (Das Haidedorf). Übersetzt von F. Pastor. Holzschnitte von Michael Florián. Dobré dílo. Sv.138. Stará Říše na Moravě.
1940 *Obrázky* (Bilder). Übersetzt von Bohuslav Durych. Holzschnitte von Michael Florián. J.Oliva. Praha.
1942 *Tichý hlas* (Eine leise Stimme. Eine Auswahl: Der Hochwald. Die Narrenburg. Brigitta. Der beschriebene Tännling. Bergkristall). Übersetzt und eingeleitet von Bohuslav Durych. Olomouc.
1943 *Polní květiny* (Feldblumen). Übersetzt von Zdeněk Řezníček. Atlantis. Brno.
1944 *Cornelie* (Der Condor). Übersetzt von Antonín Pešek. Nakladatelství mladých. Kladno.
o. J. *Každý je štěstí svého strůjce* (Die drei Schmiede ihres Schicksals). Übersetzt von V. Hochmuth.
1953 *Vítek* (Witiko). Übersetzt von J. Fučíková. Nachwort von L. Heger. Vyšehrad. Praha.
1959 *Z kroniky našeho rodu* (Die Mappe meines Urgrossvaters). Übersetzt und eingeleitet von L. Heger. SNKLHU. Praha.
1968 *Pozdní léto* (Der Nachsommer). Übersetzt von J. Fučíková. Nachwort von Eduard Goldstücker. Odeon. Praha.
1968 *Hvozd* (Der Hochwald. Das Haidedorf. Der beschriebene Tännling. Bergkristall). Übersetzt von A. Siebenscheinová. Nachwort von H. Siebenschein. Růže. České Budějovice.
1970 *Brigita* (Brigitta. Abdias. Die Narrenburg). Übersetzt von A. Siebenscheinová Růže. České Budějovice.
1972 *Potomci* (Nachkommenschaften. Der Hagestolz. Der Waldsteig). Übersetzt von A. Siebenscheinová. Růže. České Budějovice.
1978 *Horský křišťál* (Bergkristall. Das Haidedorf. Der Hochwald. Abdias. Brigitta. Die drei Schmiede ihres Glücks. Der Hagestolz. Der Waldsteig. Der Waldgänger. Granit. Nachkommenschaften. Der Kuss von Sentze). Übersetzt von A. Siebenscheinová. Nachwort von J. Stromšík. Odeon. Praha.
2002 *Paměti mého pradědečka* (Die Mappe meines Urgrossvaters). Zweisprachig. Übersetzt von L. Heger. Nachworte von J. Urzidil, V. Maidl, M. C. Putna und Petr Jelínek. Srdce Vltavy. Horní Planá.
2003 *Hvozd* (Der Hochwald). Übersetzt von H. Karlach. Vitalis. Praha.
2004 *Kondor. Ves na pláňce* (Der Condor. Das Haidedorf). Übersetzt von H. Karlach. Vitalis. Praha.
2004 *Lesní poutník* (Der Waldgänger). Übersetzt von H. Karlach. Vitalis. Praha.
2004 *Žula. Smolaři* (Granit. Die Pechbrenner). Übersetzt von H. Karlach. Vitalis. Praha.
2004 *Vítek* (Witiko). MOBA. Brno.
2005 *Horský křišťál* (Bergkristall). Übersetzt von H. Karlach. Vitalis. Praha.
2005 *Pohádky, pověsti a legendy* (Märchen, Sagen und Legenden). Übersetzt von H. Karlach. Vitalis. Praha.
2005 *Pozdní léto* (Der Nachsommer). Übersetzt von H. Karlach. Vitalis. Praha.

[1] Vgl. dazu den Beitrag von Peter Becher in diesem Band.

ADALBERT STIFTER UND DAS PROBLEM DER ‚ANDERSARTIGKEIT' IN DER LITERATURGESCHICHTE

HANA ŠMAHELOVÁ

Bewunderung und Ablehnung, Beliebtheit und Desinteresse: Die Einen, die in Stifters Prosa noch immer lebendige, zeitlose Botschaften lesen, und die Anderen, für die dieser Autor nur noch ein schweigender und seit Langem toter Klassiker ist. Adalbert Stifters Werk wird von beiden gegensätzlichen Standpunkten begleitet. Die deutsche Literaturgeschichtsschreibung reiht Stifter unter ihre bedeutendsten Schriftsteller des 19. Jahrhunderts ein, und dennoch ist diese Bestimmung nicht in jeder Hinsicht eindeutig. Es scheint, dass bis heute das Problem des „nationalen Aspektes" seines Werkes bestehen bleibt, da sich doch – paradoxerweise – keines von Stifters Werken mit der „konfliktreichen Gesellschaft" der Tschechen und Deutschen direkt befasst. Es ist, als ob die Literaturgeschichte nicht wüsste wohin mit Stifters Bindung an Böhmen, und zwar nicht im biographischen Sinne. Es ist wohl viel schwieriger, sein Verhältnis zum Böhmerwald, das ein starkes Gefühl der Zusammengehörigkeit mit dem Schicksal der anderen Nation begleitet, als untrennbaren Teil seiner schöpferischen Intention und als Ansichten des Autors als Subjekt zu fassen.

Vom Standpunkt der deutschen Literatur aus betrachtet, geht es um einen Zug, der nicht ihrem nationalen Charakter entspricht, was einer der Gründe ist, der Stifter in die „Randgruppe" der regionalen Schriftsteller drängt. In diesem Sinne schrieb zum Beispiel schon das *Prager Tagblatt* in der Jubiläumsausgabe von 1905 über Stifter als einen „deutschböhmischen Dichter" („Básník Němců v Čechách"). Bei dieser Gelegenheit ließ sich die Zeitung auf folgende Formulierungen ein:

„Die Hervorbringungen deutschen Geistes in Böhmen stehen unter der Kontrolle des ganzen deutschen Volkes, ja der ganzen Welt; sie treten in einen allgemeinen Konkurrenzkampf ein und müssen auf jenes pseudointeressante Gewand verzichten, in das sich oft genug kleine Geister kleinerer Nationalitäten mit einem Augenblickerfolg zu hüllen verstehen."[1]

Dieser Absatz gab dem Autor einer Glosse in der *Národní listy* Anlass zur Kritik des deutschen *Prager Tagblattes*, in der er sich für Stifter einsetzte, auch wenn dieser – dem Urteil des Autors zufolge – „nicht gerade der Eckpfeiler der deutschen Literatur ist", was aber keineswegs Bemühungen rechtfertige, „die Bedeutung dieses einzigen Klassikers der Deutschen in Böhmen zu schmälern".[2]

Stifter war für die tschechische Literaturgeschichtsschreibung des 19. Jahrhunderts ganz selbstverständlich ein deutscher Autor, dessen Bedeutung überwiegend „in der Schilderung der Natur, in welcher der Dichter die kleinsten Einzelheiten zu einem harmonischen Ganzen verbindet", liegt (*Riegrův slovník* 1887).[3] Ansonsten können wir über ihn in keiner der großen historiographischen Arbeiten etwas Nennenswertes in Erfahrung bringen.[4] Lediglich Arne Novák erwähnt ihn als einen „feinen Meister detailreicher Naturmalerei" und Repräsentanten der Dorfgeschichten, die vom Gedanken des ‚Jungen Deutschland' inspiriert sind.[5] Als ob das „Tschechentum" in Stifters historischen Darlegungen keinen Widerhall gefunden hätte, der es ermöglichte, zumindest einige seiner Arbeiten für die tschechische Nationalliteratur zu beanspruchen.

Von diesem Gesichtspunkt aus betrachtet, hatte sein jüngerer Landsmann, ebenfalls ein böhmischer Deutscher – Karel Klostermann – mehr Glück. Auch ihn bezauberte der Böhmerwald und verschaffte ihm – ebenso wie Stifter – neben der Inspiration für sein Schaffen auch einen Blick auf die menschlichen Schicksale aus der Vogelperspektive und dem Betrachtungswinkel der majestätischen Natur sowie einer höheren moralischen Ordnung. Es überrascht also nicht, wenn wir in Klostermanns Werk *V ráji Šumavském* eine völlig Stifterische Überlegung lesen: „Du wirst

nicht erwägen, ob das Volk tschechisch oder deutsch spricht, du wirst in ihm deine Brüder, die Bewohner deiner Heimat lieben [...]". Im Gegensatz zu Stifter jedoch schrieb Klostermann diese Worte auf Tschechisch. Es scheint, dass die Folgen der sprachlichen Verschiedenheit schwerwiegender waren, als wir es in einer Umgebung voraussetzen würden, die sich stets innerhalb einer zweisprachigen Kultur bewegte. Das belegt zum Beispiel der Artikel *Neue Literatur*, in welchem der Kritiker und Historiker L. Čech erklärt, dass Klostermann in „die Reihen der tschechischen Schriftsteller" eintrat, nachdem er die deutsche Sprache aufgegeben und „sein wertvolles Material in größeren Umfängen auf Tschechisch verarbeitet hatte".[6] Klostermann zog man Stifter noch aus einem anderen Grund vor: Für L. Čech ist es wichtig, dass Klostermanns Bilder nicht nur „idealisierende Veränderungen bloßer Landbewohner zu moralischen Helden und Philosophen des romantischen Schaffens sind". Im Gegensatz dazu schätzt er die Sachlichkeit, mit welcher Klostermann „bekannte deutsche Erzählungen Stifters, denen das Siegel eines Schaffens einer anderen Zeit und einer anderen Richtung aufgedrückt ist", überwindet.
Am Ende des 19. Jahrhunderts, im Rahmen der Diskussion über Realismus und Moderne, überrascht solch eine Meinung nicht. Schwieriger wäre zu erklären, warum Stifters Prosa tschechische Kritiker nicht zu jener Zeit für sich gewinnen konnte, wo das Darstellen von Landleben und Naturschönheiten und die Betonung der moralischen Werte und Traditionen vom literarischen Schaffen bevorzugt wurden. Im Jahre 1844 veröffentlichte V. B. Nebeský in der literarischen Zeitschrift *Květy* eine Rezension über Josef Ranks *Aus dem Böhmerwalde* (1843), in der er längere Passagen der Dorfgeschichte widmete und neben Rank auch andere ihrer Autoren wie Auerbach, Willkomm, Weil und Immermann erwähnte. Nebeský begrüßt dieses neue Thema der gegenwärtigen Literatur, unter Anderem deswegen, weil es einen anderen, schlichteren und realistischeren Schreibstil mit sich bringt. Ranks Buch charakterisiert er als „gesund und natürlich", kritisiert jedoch die nationale Voreingenommenheit des Autors, mit der er die tschechischen Bewohner des Böhmerwaldes schildert und einen verzerrten Kontrast zwischen Tschechen und Deutschen schafft.[7] In Stifters Prosa, die zu dieser Zeit gerade im Erscheinen begriffen war, hätte der Rezensent kaum etwas Vergleichbares gefunden, trotzdem vermerkte die tschechische Kritik Stifters außergewöhnliche Position nicht. Auch die erste tschechische Übersetzung des *Historischen Bildes aus dem Böhmerwald*, die unter dem Titel *Vysoký les* („Der Hochwald") erst 1862 in der Zeitschrift *Lumír* erschien, inspirierte zu keiner genaueren Vorstellung dieses deutschen Dichters, der ohne Rücksicht auf nationale Konflikte mit der „leisen Stimme" seiner Erzählungen seine Beziehungen zum tschechischen Volk erklärte. Erst als er seiner Stellung die Form eines gesellschaftlichen Gestus verlieh und eine repräsentative Ausgabe der drei Bände seines historischen Romans *Witiko* dem Magistrat der Stadt Prag widmete, reagierte die tschechische Presse (*Národ*):
„Herr Adalbert Stifter, k.k. Schulrat in Linz, geboren in Oberplan in Böhmen, verfaßte unter dem Titel ‚Wittiko' eine Erzählung aus der böhmischen Geschichte, die er ‚seinen lieben Landsleuten und besonders der ehrwürdigen Hauptstadt Prag' widmete und eine prachtvoll gebundene Ausgabe an den Stadtrat schickte, der ihm seine wärmsten Dankbekundungen entgegenbrachte. Die ‚Allgemeine Zeitung' bringt eine lange Abhandlung über dieses Werk und rechnet es den besten Früchten der zeitgenössischen deutschen Belletristik zu. (L.N.)"[8]

Jedem der drei Bände wurde von Stifter ein Brief beigelegt, in dem er sein inniges Verhältnis zu Böhmen beteuerte.[9] Um so mehr mag es verwundern, dass keine der bedeutenden tschechischen Zeitungen, als Stifter kurz nach dem Beenden des Romans im Januar 1868 starb, ihm einen Nekrolog widmete, lediglich die *Pražský deník* brachte in der Rubrik Verschiedenes die Nachricht, dass „in Linz am Dienstag ein deutscher Schriftsteller gestorben ist, der Schulrat Albert Stifter, der in Horní Planá im Budweiser Kreis geboren wurde und viele Erzählungen aus dem Leben in Böhmen verfasste."[10]

Es scheint also, dass die ,Andersartigkeit' von Stifters Prosawerken in der Situation, in welcher sich die tschechische Literatur in der zweiten Hälfte des 19. Jahrhunderts befand, nicht nur dadurch verursacht wurde, dass er nicht tschechisch schrieb und daher in die Reihen der „deutschen Schriftsteller" gehörte. Der Charakter der zeitgenössischen Reaktionen auf Stifters Erzählungen und Romane, oder genauer gesagt ihrer Absenz in Böhmen, wendete die Aufmerksamkeit einem anderen Phänomen zu: dem Missverhältnis zwischen dem Werk (seiner ideellen Absicht und seiner Form) und den dominanten Tendenzen und Vorstellungen, die den literarischen und gesellschaftlichen Diskurs beherrschten.
Diese These unterstützt ebenfalls die Tatsache, dass auch im deutschen kulturellen Umfeld der 60er Jahre des 19. Jahrhunderts Stifters Stellung weder eindeutig noch problemlos war. Sein Roman *Witiko* wich zwar vom zeitgenössischen Durchschnitt der historischen Prosa, die sich durch die niedrigere Form der Unterhaltung und die Abenteuerlichkeit des Materials auszeichnete, bedeutend ab, die Kritik war dennoch von ihm nicht besonders beeindruckt. Einerseits bemängelte sie die Lebensfremdheit, vor allem im Handeln der Gestalten, andererseits fehlte ihr im Aufbau der Komposition das Einhalten des klassischen Prinzips der Harmonie und die Ausgewogenheit der einzelnen Teile. So zum Beispiel warf der bekannte und respektierte Kritiker Rudolf Gottschall in der 1868 in den *Blättern für literarische Unterhaltung* veröffentlichten Rezension Stifter seinen altmodischen Stil und das Schildern der für den Leser uninteressanten Details vor und kritisierte, seinen Charakteren fehle eine *glaubwürdige* innere Motivation und sein Werk sei nicht vom „Geist der Zeit" durchdrungen, wie es zum Beispiel die Romane Walter Scotts seien.[11]
Aber eben dieses Vorbild wollte Stifter meiden. Bereits 1851 vertraute er diese Absicht seinem Verleger Gustav Heckenast an:

„Ich bin durch die Natur der Sache von der gebräuchlichen Art des historischen Romanes abgelenkt worden. [...] Mir haben unter Walter Scotts Romanen die am besten gefallen, in denen das Völkerleben in breiten Massen aufttrit [...]. Es erscheinen da bei dieser Art die Völker als großartige Naturprodukte aus der Hand des Schöpfers hervorgegangen, in ihren Schiksalen zeigt sich die Abwiklung eines riesigen Gesezes auf, das wir in Bezug auf uns das Sittengesez nennen, und die Umwälzungen des Völkerlebens sind Verklärungen dieses Gesezes. (8. Juni 1851)"[12]

Mit dieser Vorstellung machte Stifter jedoch den ersten Schritt zu einer noch weiteren Entfernung von den Absichten und Interessen der deutschen Gesellschaft in der zweiten Hälfte des 19. Jahrhunderts.
Diese Tendenzen spiegelten sich in der Forderung der literarischen Kritik wider, den „Geist der Zeit" im emanzipierten reinen Menschentum einzufangen, welches – losgelöst von der Transzendenz der Romantik – seine Kraft, Schönheit und Größe in den Dienst des Fortschritts stellt. Diese Vorstellung sollte auch in den Bildern der Vergangenheit lesbar sein, indem man die Geschichte in das aktuelle Geschehen einbezieht und aus ihr anschauliche, für aktuelle Konflikte einsetzbare Argumente zieht. Für solche Zwecke passte schon allein der Stoff von Stifters Roman nicht, der von der Gründung des ruhmreichen Adelsgeschlechts der Vίteks und von freundschaftlichen Beziehungen zwischen seinen tschechischen und deutschen Protagonisten handelt.
Die Kritik warf Stifter vor, dass er die österreichische Vaterlandsliebe schwächt, dass sein Stoff allzu feindliche Tendenzen den Deutschen gegenüber aufweist und dass er allgemein für die Tschechen Partei ergreift, da er einen Zeitraum ihrer Geschichte nahe bringt, in dem die politische Stellung Österreichs noch schwach war.[13] Aus diesen Reaktionen wird ersichtlich, dass dieser Roman im Grunde keine Möglichkeit für seine Rezeption durch das Prisma der aktuellen Problematik bot, mochte es sich nun um den gefährlichen Ausbruch der nationalen Konflikte in der Habsburgermonarchie oder um Bestrebungen zur Schaffung eines großen Deutschlands gehandelt haben. Es scheint, dass die fehlende Akzeptanz Stifters nicht dadurch entschieden

wurde, *was* er sagte, als viel mehr dadurch, was er *nicht* sagte, obwohl man es von ihm, wie auch von anderen Schriftstellern, erwartete.
Stifters Werk war in einem anderen Sinn engagiert und wandte sich anderen Ideen zu, denen nämlich, die in das Denkschema der aktuellen Probleme nicht all zu gut hineinpassten. Nach Johann Aprent[14], Stifters Freund, der seine Werke auch interpretierte, legte Stifter in seinem Roman *Witiko* ein bestimmtes politisches Modell für das Zusammenleben der Völker im Geiste der Gleichheit und partnerschaftlicher Zusammenarbeit vor, welches aus der Philosophie des Autors, seinem „sanften Gesetz", entspringe, nach dem die gesellschaftliche Evolution verlaufe und welches den vernichtenden dunklen Kräften der Leidenschaften, der Macht und Gewalt, dem Leben der Menschen und der ganzen Völker übergeordnet sei. Dieser Gedanke hatte ein unanfechtbares moralisches Gewicht und verwies außerdem auf die stets respektierte Tradition der Humanität der Aufklärung. Dennoch konnte sie in den aufgewühlten mitteleuropäischen Zuständen nach dem Jahr 1848 nicht mehr wie eine aktuelle politische Botschaft wirken. Eine Welt, die zu dieser Zeit nach antagonistischen Machtinteressen aufgeteilt war, drängte diesen eigenen Entwurf der unvereinbaren Gegensätze – Nationales und Fremdes, Gutes und Böses, Großes und Bedeutungsloses, etc. – auch der Literatur auf. Künstlerische Konzepte, die sich in kontroversen Fragen, seien es die des Nationalen, Sozialen oder Religiösen, der einen oder der anderen Seite zuneigten, traten in den gesellschaftlichen Kampf ein, wurden zu einem Bestandteil desselben und erhielten dadurch in den Augen der Zeitgenossen auch ihre künstlerische Überzeugungskraft. Im Gegensatz dazu war Stifters versöhnende, harmonisierende Position, von der aus er im Erzählen der vergangenen Geschehnisse zu Verständnis und Partnerschaft aufforderte, eine edelmütige Anleitung, die in der Realität des zeitgenössischen Diskurses aber für keine der im nationalen Konflikt engagierten Seiten brauchbar war. Im deutschen Umfeld spiegelte sich diese Unzeitgemäßheit seines zeitlosen Appells in den oben erwähnten Vorwürfen der Literaturkritik wider. Auf der tschechischen Seite war das Schweigen ihr Symptom, welches auch die Zurückweisung von Stifters regionalem Tschechentum enthielt, denn dieses mochte zwar eine freundschaftliche Geste sein, aber sie kam eben aus dem „feindlichen" Lager.

Es ist, als ob die ambivalenten und paradoxen Beziehungen, auf welche die zeitgenössische Rezeption von Stifters Werk hinweist, einer anderen historischen Realität als der der Geschichte der Nationalliteratur angehören würden. Als ob neben dem Kanon mehr oder weniger bedeutender Werke, Persönlichkeiten und deren Gedanken, aus denen normaler Weise die Gestalt einer historischen Entwicklung rekonstruiert wird, noch ein anderes Netz an Zusammenhängen, welches aus diesem Hauptstrom auszubrechen scheint oder sich ihm gegenüber als Randerscheinung präsentiert, existieren würde. Wäre Stifters ‚Andersartigkeit' nur eine vereinzelte Erscheinung, wäre es gar nicht nötig, ihr besondere Beachtung zu schenken. Die Geschichte ist aber voll von solchen Abweichungen, Uneinordbarkeiten und Ausnahmen. Von diesem Blickwinkel aus bietet das Werk Bernard Bolzanos aufgrund seiner gesellschaftlichen Stellung und auch seiner gedanklichen Orientierung eine Parallele an.[15]
Auf den ersten Blick ist klar, dass sich beide Persönlichkeiten in ihrem Verhältnis zur Tradition der Humanität der Aufklärung und der religiösen Ethik nahe stehen, obwohl sie jeder auf seine eigene Art und auf unterschiedlichen Gebieten weiterentwickelt hat. Bemerkenswert sind jedoch die Übereinstimmungen in der gesellschaftlichen Reaktion auf ihre Ansichten und Vorstellungen darüber, was im Leben des Menschen und in der Gesellschaft von Bedeutung ist. Bei Bolzano, der an der Prager Universität in den Jahren von 1808 bis 1819 wirkte, ging es um eine Vision des brüderlichen Zusammenlebens zwischen Tschechen und Deutschen im Geiste des höchsten Moralgesetzes, das anordnet, für das Gedeihen der gemeinsamen Heimat in Eintracht zu sorgen.[16] Hierin lag seiner Ansicht nach die Garantie für ein glückliches Leben, nicht in der Trennung, im gegenseitigen Rivalisieren oder im sturen Durchsetzen partikularer Interessen auf

Kosten des Anderen. Die tschechische Gesellschaft war jedoch anders gestimmt: Die Intelligenz der nationalen Wiedergeburt empfand historische Ungerechtigkeiten und aktuelle Streitigkeiten als ein existentielles Dilemma zwischen der Existenz und der Nicht-Existenz des Volkes. Aus ihrem Blickwinkel heraus war es nicht möglich, diesen grundsätzlichen Streit zu überwinden und zu harmonisieren. Als einzige mögliche Lösung schien es ihr, sich gegen die feindliche Seite abzugrenzen und den ungewollten Bund zu zerschlagen. Die Wiedergewinnung der tschechischen nationalen Identität, ihr Auferstehen mittels Sprache und Kultur, sollte zum Fundament der emanzipierten Existenz einer Nation werden. Dieser antagonistische Zugang zum nationalen Problem stellte für das Akzeptieren von Bolzanos philosophisch-religiösem Konzept eine unüberwindbare Barriere dar und bewirkte, dass Bolzano von einigen Vaterlandsliebhabern zum Feind der Tschechen erklärt wurde. Einige Jahrzehnte später geriet auch Stifter in eine ähnliche Position. Als ob der moralische Appell seiner Prosa, besonders des Romans *Witiko*, einer anderen Welt angehört hätte als jener, in welcher die Leserschaft seiner Werke bereits deutlich zugespitzte nationale Konflikte erlebte.

Solche Probleme entziehen sich den traditionellen literaturhistorischen Zugängen. Um die spezifische Andersartigkeit eines bestimmten Werkes im Verhältnis zu seiner zeitgenössischen Rezeption zu begreifen, bietet zum Beispiel die Semiotik die Möglichkeit, die Positionen Bolzanos und Stifters als einen Treffpunkt zweier verschiedener Kommunikationsmodelle zu transponieren. Das *erste* ist mit der Bemühung verbunden aufzuzeigen, dass der Schlüssel zur Lösung der gesellschaftlichen, besonders der nationalen Konflikte, im Geiste eines ihnen übergeordneten und universal geltenden Sittengesetzes im nicht-konfliktlichen Handeln liegt. Diese Tendenz drückt sich deutlich in Akzenten zu Verständigungsakten, zur Harmonie in den Beziehungen und zum Ausbalancieren von Gegensätzen aus. Für dieses Modell, welches sowohl Stifter als auch Bolzano zu Eigen war, gilt, dass die Gegenwart in einer überzeitlichen Perspektive reflektiert wird. Dadurch unterscheidet sie sich auch grundsätzlich vom *zweiten* Modell, welches die momentanen, zeitlichen Interessen betrifft, und unter anderem bestrebt ist, den einen oder den anderen Gegner zu beherrschen oder zu übertreffen.

Auf der einen Seite ist es kein Wunder, dass sich die Aufmerksamkeit der Historiker vor allem diesem dynamischen und auf Gegensätzen aufgebauten Modell widmet. Andererseits ist auch die Gesellschaft mit ihren Codes der Kommunikation immer eher auf diese Art der Aussagen „eingestellt", die die Interessen der Gegenwart reflektieren und die Verwandlung der Realität nach den Vorstellungen der Gewinnerseite im gegebenen Konflikt vorwegnehmen. Im Vergleich damit erblickte die Andersartigkeit, das unzeitgemäße Handeln bis hin zur Utopie, die das erste Modell produziert, als etwas Anormales, als eine Randerscheinung das Licht der Welt. Auch wenn die Geschichte der tschechischen Literatur sowohl Bolzano als auch Stifter eben diese Position zuteilte, geriet deren überzeitliches Modell von „Humanität" nicht in die Sackgasse der historischen Entwicklung. Im Gegenteil: Es bleibt ebenso verbindliche historische Wirklichkeit wie diejenigen Meinungen und Ereignisse, die es im Rahmen eines bestimmten zeitgemäßen Diskurses lediglich in den Hintergrund geschoben haben. Ohne dieses Bewusstsein von der ‚Andersartigkeit' der Literaturgeschichte ist unsere historische Reflexion stets unvollständig. Für die zeitgenössische Literaturgeschichte ist das eine Herausforderung, den Weg zu den verschiedenen Erscheinungen dieser versteckten Wahrheit zu finden, sie kennen zu lernen und in ihre Konzepte zu integrieren.

1 *Prager Tagblatt*, Nr. 291, 22.10.1905, S. 1.

2 *Národní listy*, 25.10.1905, S. 3.

3 Ähnliches ist in *Ottův slovník naučný* (1905; Neuauflage: Praha-Litomyšl 2001) über Stifter zu finden: „Zobrazitel přírody v klidném jejím dění, přírody vzrušivé nemiluje" („Darsteller der Natur in ihrem ruhigen Geschehen,

die erregte Natur liebt er nicht"; übersetzt von Linda Novotná, L.N.).

4 Zum Beispiel Jan Jakubec: *Dějiny české literatury 2*. Praha 1934; *Dějiny české literatury II*, hrsg. von F. Vodička und Kollektiv, Praha 1960.

5 A. Novák/J. V. Novák: *Přehledné dějiny literatury české*. Brno 1995, S. 430. – Pavel Eisner hat nur eine stichwortartige Charakteristik, führt aber Ähnlichkeiten mit B. Němcová und M. von Ebner-Eschenbach an. (*Československá vlastivěda 7*, Praha 1933, S. 333-334).

6 Vgl. *Osvěta* 23 (1893), Nr. 9, S. 855-860 („Klostermann poslechl a vstoupil i do řad českého spisovatelstva [...] Obrazy Klostermannovy nejsou ani Gessnerovské chvalozpěvy blaženosti venkovského horského zátiší, ani idealizující přeměny pouhých venkovanů na mravní hrdiny a filosofy tvoření romantického", S. 856 – „Obrazy [....] které svojí reálností překonávají známé německé povídky Stifterovy, jimž vtisknuta pečeť tvoření jiné doby a jiného směru", S. 860).

7 Vgl. V. B. Nebeský: *O literatuře*. Praha 1953, S. 62: „Garstig beschreibt er dort uns Tschechen, er kennt uns nicht gut und fügt uns großes Unrecht zu. Er mag lieber selber sprechen: ‚Für Böhmen als ihre Heimat empfinden diese Deutschen [d.h. im Böhmerwald] keine vaterländische Liebe. Das kann man leicht verstehen und verzeihen. Inwiefern sie auch mit ihren tschechischen Nachbarn verkehren, bieten diese ihnen nur wenig Interessantes an.'" („Škaredě dost nás Čechy popisuje, nezná on nás dobře a dělá nám velkou křivdu. Ať mluví tedy sám : 'Pro Čechy co svou vlast neprojevují tito Němci [t.j. na Šumavě] žádnou vlasteneckou lásku. To se dá lehko pochopit a odpustit. Jak daleko se stýkají se sousedními Čechy, málo zajímavého jim tito poskytují.'").

8 Die Tageszeitung *Národ* brachte am 15.6.1865 eine kurze Nachricht: „Pan Adalbert Stifter, c. k. školní rada v Linci, rodem z Čech z Hoření Plané, sepsal povídku z Českých dějin pod názvem Wittiko, kteroužto věnoval 'svým milým krajanům zvláště ale ctihodnému hlavnímu městu Praze' i zaslal skvostně vázaný výtisk radě městské, kteráž uzavřela vysloviti mu vřelé díky. Allgemeine Zeitung přinášející dlouhé pojednání o tomto dílu, klade je mezi nejlepší plody nynější německé beletristiky" (*Národ*, Nr. 2, 1865, c. 161).

9 Zum Beispiel: „Meine Anhänglichkeit an das Land hat mir eingegeben, diesen Dichtungsversuch meinen Landsleuten und insbesonders den Bewohnern der Stadt Prag zu widmen" (Brief vom 28. 5. 1865). Zit. n. Adalbert Stifter: *Werke und Briefe. Historisch-kritische Gesamtausgabe*, hrsg. von Alfred Doppler und Wolfgang Frühwald (seit 2001 Hartmut Laufhütte). Bd. 5,5: *Witiko. Stellenkommentar*, von Alfred Doppler und Wolfgang Wiesmüller. Stuttgart u.a. 2001, S. 17. Zur Widmung Stifters und seinem Briefwechsel mit dem Prager Gemeinderat vgl. ebenda, S. 16-20. Der tschechischen Übersetzung von Stifters *Witiko* (*Vítek*, 1926) hat die Übersetzerin M. Illová auch drei Briefe Stifters an den Magistrat der Stadt Prag aus den Jahren 1865, 1867 und 1868 hinzugefügt.

10 *Pražský deník*, 30.1.1868, S. 3.

11 Vgl. dazu Johann Holzner/Elisabeth Neumayr/Wolfgang Wiesmüller: *Der Historische Roman in Österreich von 1848-1890*. In: *Literarisches Leben in Österreich 1848-1890*, hrsg. von Klaus Amann, Hubert Lengauer und Karl Wagner. Wien 2000 (= Literaturgeschichte in Studien und Quellen Bd. 1), S. 455-504, bes. S. 491-501.

12 Zit. n. Stifter: *Werke und Briefe* (Anm. 9), Bd. 5,4: *Witiko. Apparat. Kommentar*, von Alfred Doppler und Wolfgang Wiesmüller, Stuttgart u.a. 1998, S. 245f.

13 Zu diesen Kritikpunkten der zeitgenössischen Rezeption vgl. ebenda, S. 273-291, mit wörtlichen Zitaten aus den Quellen.

14 Vgl. die Rezension Johann Aprents zum 1. Band des *Witiko* in der *Augsburger Allgemeinen Zeitung* vom 5. und 6. Juni 1865, irrtümlich mit J. Ahrent gezeichnet. Auszüge daraus in Stifter: *Werke und Briefe*, Band 5,4 (Anm. 12), S. 291-296.

15 Vgl. dazu auch den Beitrag von Alfred Doppler in diesem Band.

16 Vgl.: Jaromír Loužil: *Bernard Bolzanos Bohemismus-Konzept*. In: *Brücken nach Prag. Deutschsprachige Literatur im kulturellen Kontext der Donaumonarchie und der Tschechoslowakei. Festschrift für Kurt Krolop zum 70. Geburtstag*, hrsg. von Klaas-Hinrich Ehlers, Steffen Höhne, Václav Maidl und Marek Nekula. Frankfurt am Main 2000, S. 25–41.

ADALBERT STIFTER
Der Maler aus böhmischer Perspektive

ROMAN PRAHL

Die Komplementarität des Schaffens von Adalbert Stifter als Dichter und Maler bildet ein äußerst reiches Thema, wie die hier vorgelegte Untersuchung von neuem bestätigt. In den letzten Jahren wurde vieles für die Interpretation Stifters auch im kunsthistorischen Kontext getan[1], wozu die folgende kurze Abhandlung ebenfalls beitragen will. Es handelt sich hier lediglich um einige Anmerkungen, konkret zu zwei Punkten: zum topographisch-geographischen und zum künstlerischen Moment des Malers Stifter aus böhmischer Perspektive.

Flußenge I, 1845. Öl, 23,6 x 29 cm. Oberösterreichische Landesmuseen, Linz

Damit der hier gewählte Blickwinkel richtig verstanden wird, muss vorausgeschickt werden, dass es an und für sich kaum einen Sinn hätte, irgendwelche geographisch böhmischen Motive aus dem Werk des Malers Stifter herauspräparieren zu wollen. Im Bild der großartigen Natur aus dem Dreiländereck zwischen Böhmen, Österreich und Bayern verwischen sich bei Adalbert Stifter sozusagen die Grenzen – nicht nur der Länder, sondern des menschlichen Eigentums überhaupt. Zudem ist in der Malerei – im Unterschied zur Literatur – die Bestimmung oder

Karl Postl nach Laurenz Janscha: Teufelsmauer, 1803-1807. Kolorierte Radierung. 29 x 43 cm. Privatsammlung, Prag

Benennung eines Ortes einfach und aus verschiedenen Gründen weniger wichtig. Viele von Stifters Gemälden, die allerbesten eingeschlossen, sind mehr als Veduten. Zugleich ist es fast unmöglich, den ursprünglichen Entstehungsort einer Reihe von ihnen näher zu bestimmen. Schon deshalb hätte es nicht viel Sinn, aufzuzählen, wie viele seiner Arbeiten der Maler Stifter ausdrücklich dem Böhmerwald oder auch dem böhmischen „Binnenland" gewidmet hat. Ebenso ist es an und für sich auch nicht so wichtig, dass er ein bestimmtes topographisches Motiv mehrfach wiederholt hat, sofern er damit auf eine gewisse Nachfrage reagierte. Am wichtigsten ist aus der böhmischen oder der Böhmerwald-Perspektive schließlich Stifters Lebenslauf und der damit zusammenhängende Bogen seines Schaffens. Während seine frühen kleinen Gemälde fest mit seinem Geburtsort Oberplan verbunden waren, entstanden die Zeichnungen aus Lackenhäusern auf der gegenüberliegenden Seite des Hochwalds ganz am Ende seines Lebens.
Die Beurteilung eines Werks unter dem Blickwinkel der persönlichen Beziehung seines Autors zum Ort muss nicht notwendigerweise seinen kunsthistorischen Zusammenhang verfehlen. Zu diesem Zusammenhang gehört auch, dass die „Natur als Heimat" in der ersten Hälfte des 19. Jahrhunderts zu einem allgemeinen Leitmotiv der Landschaftsmalerei wurde. Es wirkte bei Stifter jedoch noch tiefer als irgendeine zeitgenössische Ideologie: Im Kulturzentrum Wien und dann in seiner Linzer Zeit verarbeitete der Künstler allseitig sein Bewusstsein von der natürlichen Peripherie, dem Geburtsort und der Heimatregion.
In diesem Kontext ist ein Motiv aus dem Böhmerwald besonders bemerkenswert, das von Stifters größtem Gemälde sowie von zwei kleineren Fassungen gut bekannt ist, die als *Die Flußenge* betitelt sind (Abb. 1).[2] Die Inspiration zu dieser Bildergruppe geht von einem Ort an der Moldau aus, der sogenannte „Teufelsmauer", die bereits lange davor zu einer touristischen Attraktion geworden war. Im Album kolorierter Radierungen unter dem Titel *Collection de vues les plus intéresant et pittoresques de Bohême* aus den Jahren 1803-1807 (Abb. 2) wird gerade dieser Ort als der vielleicht malerischste überhaupt geschildert. Es besteht eine Reihe von Unterschieden zwischen der oben

genannten Bildergruppe von Stifter und der entsprechenden Vedute des Duos Postl / Janscha. Adalbert Stifter verzichtet vor allem auf das Pittoreske und auf die bunte Mannigfaltigkeit. Er befreit die Teufelsmauer auch von der Realität der allgegenwärtigen Besucher, die in der damaligen Landschaftsmalerei sehr üblich gewesen sind. Der Maler hätte auch den Eindruck des dramatisch Erhabenen leichter erwecken können, wenn er den durch die Berge strömenden Fluss gerade zusammen mit der kleinen menschlichen Staffage hätte schildern wollen. Er verzichtete jedoch auf eine bombastische Romantik und verfeinerte statt dessen die realistische Empfindsamkeit. Er sucht hauptsächlich einen Einklang zwischen den Landschaftselementen wie Wasser, Felsen, Vegetation und nebelhafter Luftatmosphäre, was speziell in der hier abgebildeten vereinfachten Version von Stifters Bild offensichtlich wird. Die Teufelsmauer erscheint hier also als Ort der lebensfähigen Harmonie: sie ist sozusagen auf idyllische Weise evoziert. Der Ort absorbiert auch leicht seinen menschlichen Betrachter. Übrigens: die außermenschliche Natur ist derselben göttlichen Ordnung unterworfen wie der Mensch.
Hier sowie anderswo antizipiert der Maler Stifter vielleicht den modernistischen Trend zur Abstraktion und zum Elementaren, wie schon mehrfach festgestellt wurde.[3] Vor allem schöpft er aber aus den zeitgenössischen und traditionellen Methoden der Landschaftsmalerei.[4] Die Darstellungsweise und die Interpretation der einzelnen Landschaftselementen sind dabei auf das sichtbare und persönlich erlebte Ganze zielgerichtet. Das Schaffen des Landschaftsbildes beginnt nicht mit den selbständig gesehenen Details, sondern ist durch das Ganze – d. h. in der Stifter-Zeit: auch durch das Ganze des gesehenen Orts – beeinflusst. Das „Motiv" bedeutet dann auch beim Maler Stifter eine wesentliche Charakteristik des gemaltes Bildes und des gesehenen Ortes zugleich. Die „Stimmung"[5] vermittelt ganz ähnlich wie das „Motiv" zwischen dem Sichtbaren und dem persönlich Erlebten.

In diesem Sinne ist das Motiv aus dem Böhmerwald ein Musterbeispiel der intensiven, inneren Bindung zwischen dem Ort und dem Bild. Stifters Auffassung der Teufelsmauer lässt sich von dem Ansatz derjenigen Maler unterscheiden, die sozusagen professionelle Besucher dieses Ortes waren. Adalbert Stifter war allerdings nicht der erste Maler, der den Böhmerwald böhmischerseits mit künstlerisch ernstzunehmenden Ergebnissen darstellte. Seit der Mitte der 1840er Jahre bewegten sich hier auch bereits die Prager Studenten der Landschaftsmalerei auf ihren Reisen nach München und Südbayern. Dennoch prägten das Pittoreske und die Spätromantik lange das malerische Bild des Böhmerwalds, wie ihn die besuchenden Maler von böhmischer Seite wahrgenommen haben. Das Bild von diesen Orten ist beim Maler Stifter subtiler, was wohl auch gerade damit zusammenhängt, dass er diese Landschaft als Geburtsort oder Heimat erlebt hat.
Zum Abschluss der ersten „topographischen" oder auch „geographischen" Anmerkung zu Stifter als Maler muss daran erinnert werden, dass das, was in der Literatur seiner Zeit möglich war, sich mitunter den Möglichkeiten der damaligen Malerei in Mitteleuropa entzog. Das Phänomen des tiefen Waldes, namentlich seines Inneren, das im literarischen Werk Stifters festgehalten wird, konnte sich von den Malern böhmischer Herkunft erst der um vieles jüngere Julius Mařák (1832-1899) aneignen.
Die zweite Anmerkung zu den „böhmischen" Ingredienzen bei dem Maler Stifter bezieht sich nicht so sehr auf die Natur als vielmehr auf die bildende Kunst. Diese verbindet Stifter künstlerisch scheinbar sehr wenig mit Böhmen und namentlich mit Prag. Zu der Zeit, als Adalbert Stifter eine professionelle Laufbahn als Maler verfolgte, also an der Schwelle von den dreißiger zu den vierziger Jahren des 19. Jahrhunderts, stellte er nämlich nicht in Prag aus, wo die Ausstellungen damals zunehmend eher von Malern aus München als aus Wien beschickt wurden. In Böhmen begann erst Adalbert Lanna d. J. (1836-1899) Arbeiten des Malers und Zeichners Stifter zu sammeln, was gut zu den südböhmischen Wurzeln dieses führenden Prager Kunstmäzens passt.[6]

Von Stifters Seite besteht jedoch bekanntermaßen eine intensive Beziehung zu seinem Prager Altersgenossen August Piepenhagen (1791-1868). Dieser Landschaftsmaler – im wesentlichen ein Autodidakt – war mit seinen kleinformatigen Bildern im Prager Milieu sehr erfolgreich, die später für die Sammler viel anziehender als für die „große Kunstgeschichte" wurden. Piepenhagen wurde hauptsächlich dank seiner Verbindung mit Stifter attraktiv: Er wird meistens als Stifters „Gesprächspartner" diskutiert, als Objekt seiner Überlegungen zur Kunst oder auch als sein frühes Muster in der Wiener Zeit.[7]

August Piepenhagen war zwar keine sogenannte Pionier-Persönlichkeit, dafür verkörperte er jedoch die charakteristischen Ambitionen der Landschaftsmaler aus der Epoche des Biedermeier. Er erreichte, was dem Maler Stifter nicht gelang: er fand Anerkennung als Landschaftsmaler, obwohl er nicht akademisch geschult war. Auch sein familiäres Umfeld entsprach dem Ideal des schönen Lebens; seine Familie verwirklichte die gesellschaftlich-profesionellen Ambitionen der Biedermeierzeit.[8]

Das Schaffen August Piepenhagens, der eigentlich die Fusion der manieristischen Tradition der Verehrung der Naturalien als Wunder mit den neuen naturwissenschaftlichen Studien der Aufklärung verwirklichte, war dem Maler Stifter sehr nahe. Es gibt auch eine allgemeinere Beziehung zwischen dem Spektrum der damaligen Naturwissenschaften und dem Studium der Landschaftsmaler;[9] hier kann man vielleicht von einer gewissen Komplementarität der malerischen Interessen bei Stifter und Piepenhagen sprechen. Bei Piepenhagen überwiegen Waldpartien, malerisch dargestellt in eigener Handschrift, die hauptsächlich aus seinem Studium der Struktur von Moosen hervorging.[10] Eine Analogie hierzu besteht eher beim Zeichner als beim Maler Stifter. Stifters frühe naturwissenschaftliche Studien äußerten sich später in seinen Interessen als Maler, die sich vor allem auf Mineralogie und Meteorologie richteten, und zwar trotz allem Nachdruck auf die Botanik und deren Zusammenhänge mit der Landwirtschaft und der Gartenkunst.[11] Die „progressiven" Studien der Atmosphäre sowie ihrer Veränderlichkeit, die beim Maler Stifter immer betont worden sind[12], unterscheiden ihn scheinbar von Piepenhagen, sowie von dem damals ziemlich konservativen Prag überhaupt. Vor allem im Reich des Vegetabilen entwickelte Piepenhagen das traditionellen Universumsbild, wo das Kleine im Großen enthalten ist und das Große wiederum im Kleinen. Adalbert Stifter ist insofern mit August Piepenhagen durch den gemeinsamen Ausgangspunkt der romantischen Naturphilosophie tief verbunden.

Die Bedeutung der Beziehung Stifters zu Piepenhagen wird auf keinen Fall durch die Tatsache gemindert, dass es zum ersten Kontakt zwischen ihnen erst zu einer Zeit kommt, als beide schon alt und krank sind. Adalbert Stifter schreibt erst im August 1859 zum ersten Mal an Piepenhagen. In seinem ersten Brief vertraut er dem Prager Maler an, wie er bereits zwanzig Jahre zuvor begonnen hat, dessen kleine Bilder zu bewundern, die in Wien ausgestellt waren. Es handelt sich um die Darstellungen von Landschaften im nächtlichen Licht, in der Tradition der niederländischen Meister des 17. Jahrhunderts. Die Mondlandschaft wurde in Mitteleuropa erneut seit dem Ende des 18. Jahrhunderts bewundert. Die Landschaft im Mondschein war ein Motiv, zu dem der Maler Stifter immer wieder zurückkehrte. Es ging ihm jedoch um mehr als um die Vorbilder alter Meister, ein von der Romantik banalisiertes malerisches Motiv oder um die Piepenhagensche Produktion. Stifter konnte sich als Maler schließlich den Luxus der Freiheit erlauben, mit der er sich von der Malerei als Beruf und damit auch von den Ansprüchen des zeitgenössischen Publikums an die Kunst, denen auch Piepenhagen noch ausgesetzt ist, entfernt hatte. Gerade deshalb sind seine Werke wie z. B. die unvollendete *Mondlandschaft mit bewölktem Himmel* aus der Zeit um 1850 (Abb. 3) noch interessanter als seine „aktuellen", meteorologischen Studien der Veränderungen des Tageslichts und der Atmosphäre, die den Weg zur Pleinairmalerei bahnen. Sicherlich beruht die Meisterschaft für Stifter wie für die übrigen Maler hauptsächlich auf dem Erfassen der hellen und farbigen Nacht. Aber eine Szenerie mit Mond zu malen, über die majestätisch die Wolken dahinziehen, umfasst etwas mehr als nur das Problem der Darstellungsweise.

Mondlandschaft mit bewölktem Himmel, um 1850. Öl, 19,3 x 25 cm. Adalbert-Stifter-Gesellschaft, Wien.

Es ist eine Tätigkeit, bei der man das Vergehen der Zeit und die Tiefe des Raumes, wie sie üblicherweise erlebt werden, zu neutralisieren bzw. zu überwinden scheint.
Es handelt sich letztendlich um eine „Stimmung", die bereits in der Ära des Biedermeier als Phänomen anerkannt wurde, das den Einzelnen innerlich mit dem Universum verbindet. Die „Stimmung" hat in der Dichtung Stifters deutlich ihren Platz, und nicht weniger bedeutsam ist ihr Zusammenhang mit der mitteleuropäischen Landschaftsmalerei, deren spätere Entwicklung in erheblichem Maße gerade im Zeichen der Neoromantik und namentlich der „Stimmung" verlief. Die Kunsthistoriker haben diesen Zusammenhang bei Adalbert Stifter und seinen Mondlandschaften meistens nicht ausreichend genug gewürdigt. Dies entspricht offensichtlich der älteren Tendenz, das Kunstgeschehen in Mitteleuropa im Kontext einer sogenannten weltweiten Entwicklung der Kunst, also hauptsächlich des Pariser Aktualismus und der Orientierung auf die optische Problematik des Kunstbildes, zu betrachten. Das größte Projekt des späten Malers Stifter bestand dagegen ab 1854 ausdrücklich in einem Zyklus von Stimmungsbildern (die acht Teile des Zyklus tragen Titel wie *Die Heiterkeit* u. ä.). Die neueste Interpretation dieses Projekts bestätigt die „Stimmung" als zentralen Begriff bei Stifter.[13]
Was müsste zu Stifter als Maler aus böhmischer Perspektive abschließend noch ergänzt werden? Es wäre einen Versuch wert, festzustellen, inwieweit gegebenenfalls auch die von Stifter geäußerten Ansichten zur bildenden Kunst die zeitgenössische Diskussion in Prag beeinflusst haben. Darüber hinaus wäre es wohl nicht ganz unmöglich, in böhmischen oder mährischen Sammlungen noch eine vergessene – und dennoch authentische – kleine malerische Arbeit Stifters zu entdecken. Hier sei jedoch mit einer Rekapitulierung dessen geschlossen, was über das Potential der „böhmischen" Natur und Kunst gesagt wurde. Es ging dabei vor allem darum, das Thema der Natur als Geburtsort oder ursprünglicher Heimat sowie andererseits das Thema des Kunstbildes

als „Stimmung" zu betonen. Es bleibt die suggestive Frage, inwieweit diese beiden Themen zusammenhängen. Und dies stellt meiner Ansicht nach unter „böhmischem" Blickwinkel auch das interessanteste Problem bei Stifter als Maler dar.

[1] Die neuere Fachliteratur zum Thema ist sehr umfassend. Hier sei nur der Band angeführt, auf den im Folgenden mehrmals Bezug genommen wird: *Adalbert Stifter. Dichter und Maler, Denkmalpfleger und Schulmann. Neue Zugänge zu seinem Werk*, hrsg. von Hartmut Laufhütte und Karl Möseneder. Tübingen 1996.

[2] Vgl. die neue Auflage des Standardwerkes von Fritz Novotny: *Adalbert Stifter als Maler*. Wien-München 1979. Das größere Gemälde *Felspartie/Ideale Landschaft* wurde 1841 gemalt (Nr. Kat. 53). Die beiden kleineren Bilder sind höchstwahrscheinlich aus dem Jahr 1845, als Stifter eine Bestellung aus dem Freundeskreis erhielt und das Motiv für das Bild selber wählen konnte (Nr. Kat. 62-63).

[3] Vgl. Fritz Novotny: *Über das Elementare in der Kunstgeschichte und andere Aufsätze*. Wien 1968, S. 103; weiters z. B. Franz Baumer: *„Musik fur das Auge": Progressive Elemente bei Adalbert Stifter als Maler und Zeichner*. In: *VASILO* 31 (1982), S. 121-144.

[4] Zu den Grundlagen der Übung im Landschaftszeichen und -malen bei den Dilettanten sowie bei Profesionellen vgl. z. B. das entsprechende Kapitel bei Werner Busch: *Das sentimentalische Bild. Die Krise der Kunst im 18. Jahrhundert und die Geburt der Moderne*. München 1993.

[5] Karl Möseneder: *Stimmung und Erleben. Adalbert Stifters Ikonologie der Landschaftsmalerei*. In: Laufhütte/Möseneder (Anm. 1), S. 18-57.

[6] *Vgl. Vojtěch svobodný pán Lanna. Sběratel, mecenáš a podnikatel* [A. Freiherr v. Lanna. Sammler – Mäzen – Unternehmer], hrsg. von Filip Wittlich. Ausstellungskatalog. Praha 1996; weiters *Villa Lanna – antika a Praha 1872* [Villa Lanna: Die Antike und Prag 1872], hrsg. von Jiří Šubrt. Praha 1995.

[7] Vgl. zuletzt die allseitige Diskussion der Beziehung zwischen Stifter und Piepenhagen bei Brigitte Hauptner: *„...Unvergleichlich an Stimmung...". Die künstlerischen Beziehungen zwischen Adalbert Stifter, August Piepenhagen und Carl Blumauer*. In: *Kunstjahrbuch der Stadt Linz* 1996/1997, S. 54-86. – Als die umfassendste Abhandlung über den Prager Maler selbst gilt immer noch der Artikel von Olga Macková: *August Piepenhagen*. In: *Umění* 10 (1967), S. 135-153. Vgl. auch Jana Moravcová: *August Bedřich, Charlotta a Louisa Piepenhagenovi*. Ausstellungskatalog. Národní galerie v Praze [Nationalgalerie]. Hlinsko 2004.

[8] Zwei von den drei Töchtern Piepenhagens waren profesionelle Malerinnen, die dritte heiratete einen bekannten Prager Stecher. Besonders einer von den Töchtern – Charlotte (1821-1902) – gelang es, sich profesionell sowie gesellschaftlich zu etablieren. Sie leitete später eine private Malerschule und ließ schließlich mit ihrem anscheinend nicht unbedeutenden Vermögen eine Stiftung für Landschaftsmaler gründen.

[9] Vgl. vor allem T. F. Mitchell: *Art and Science in German Landscape Painting 1770-1840*. Oxford 1993.

[10] Die aus verschienenen Arten von Moos zusammengestellten Kompositionen waren ein beliebtes Produkt der Dilettanten-Kunst und erschienen ziemlich oft in der Prager Kunstausstellung während Piepenhagens früher Schaffensperiode.

[11] Sibylle Apuhn-Radtke: *Priester des Schönen. Adalbert Stifters Künstlerbild zwischen theoretischem Anspruch, literarischer Darstellung und gesellschaftlicher Realität*. In: Laufhütte/Möseneder (Anm. 1), S. 75-95.

[12] Elisabeth Schmalhofer: *Flüchtigkeit zum Augenblick verdichtet. F. Gauermann, J. Fischbach, A. Stifter. Wolkenmaler des österreichischen Biedermeiers*. In: *Mitteilungen der Gesellschaft für Vergleichende Kunstforschung in Wien* 52 (2000), Nr. 2/3, S. 10-15.

[13] Vgl. Möseneder (Anm. 5). In der synästhetischen Interpretation Möseneders steht der „Stimmung" das „Erleben" gegenüber, welcher Begriff aus den Texten eines anderen Malers (C. G. Carus) aus Stifters Zeit übernommen ist. Die Verbreitung dieser Grundbegriffe hat einige gute Gründe, speziell wenn man – im Sinne des späteren Verständnisses – die „Stimmung" als das menschlich Subjektive definiert.

DAS OBERSTE SITTENGESETZ ALS GRUNDGESETZ MENSCHLICHEN ZUSAMMENLEBENS
War Adalbert Stifter ein Bolzanist?

ALFRED DOPPLER

Stifter stellt in der „Vorrede" zu den *Bunten Steinen* dar, was er in der äußeren Natur und in der inneren Natur des Menschen für groß und klein hält, und leitet, indem er dem Kleinen den Vorzug gibt, daraus das vielzitierte „sanfte Gesetz" ab. Dieses Gesetz ist für Stifter ein ästhetisches Programm, das ihn von den Abgründen wegführen soll, von denen er sich in der Natur, in der geschichtlichen Entwicklung und im persönlichen Lebensvollzug umgeben sah. Ordnung und Sicherheit versprach ihm dieses Gesetz, weil er der Überzeugung war, dass es in einem allgemeinen Sittengesetz verankert sei.
Schon während der Schul- und Studienzeit in Kremsmünster und Wien war Stifter mit den Vorstellungen vertraut, die er dann in der „Vorrede" ausgebreitet hat. Andreas von Baumgartner behandelte in seinen Vorlesungen die Relationen von Groß und Klein, und Carl von Rotteck beschäftigte die Relativität des Großen und des Kleinen; in der Einleitung zu seiner *Allgemeinen Weltgeschichte* schreibt er, „daß nicht nur geräuschvolle Begebenheiten, als Schlachten, Thronensturz, Dynastienwechsel u.s.f. merkwürdige Data für die Weltgeschichte seien, sondern noch vielmehr jene *leise eintretenden Veränderungen*, welche umfassender und dauernder als die mächtigsten Stürme wirken, und jene stillen Verkettungen moralischer Ursachen, deren natürliche, ja oft geringste Wirkung die vom Pöbel angestaunten Explosionen sind. [...] die französische Revolution selbst war die natürliche Folge einer langen Reihe still und unsichtbar wirkender moralischer Ursachen."[1]

Der Gefahr, dass sich „Harmonie in Wildheit" und „Sitte in Unordnung"[2] verwandeln könnte, wird von Stifter mit dem Wunsch und der Absicht begegnet: „Wir wollen das sanfte Gesez zu erbliken suchen, wodurch das menschliche Geschlecht geleitet wird." (HKG 2,2; 12)[3] Und dieses Gesetz ist für Stifter:
„Das Gesez der Gerechtigkeit das Gesez der Sitte das Gesez, das will, daß jeder geachtet geehrt ungefährdet neben dem Andern bestehe, daß er seine höhere menschliche Laufbahn gehen könne, sich Liebe und Bewunderung seiner Mitmenschen erwerbe, daß er als Kleinod gehütet werde, wie jeder Mensch ein Kleinod für alle andern Menschen ist. Dieses Gesez liegt überall, wo Menschen neben Menschen wohnen, und es zeigt sich, wenn Menschen gegen Menschen wirken."

Und daraus folgert Stifter:

„Darum sieht der Menschenforscher, wohin er seinen Fuß sezt, überall dieses Gesez allein, weil es das einzige Allgemeine das einzige Erhaltende und nie Endende ist. Er sieht es eben so gut in der niedersten Hütte wie in dem höchsten Pallaste [...] So groß ist die Gewalt dieses Rechts- und Sittengesezes, daß es überall, wo es immer bekämpft worden ist, doch endlich allezeit siegreich und herrlich aus dem Kampfe hervorgegangen ist." (HKG 2,2; 13)

Fast alle Sätze der „Vorrede" beziehen sich nun im weiteren Verlauf auf dieses „allgemeine Sittengesetz"; Rhythmus und Tonlage des gesamten Textes der „Vorrede" werden davon bestimmt; von einem „sanften" Gesetz ist fortan nicht mehr die Rede; und so stellt sich die Frage, inwieweit kann dieses „Rechts- und Sittengesetz" zugleich ein „sanftes Gesetz" sein.

Das von Stifter so nachdrücklich beschworene Sittengesetz war im Vormärz und in der Restaurationszeit nach 1848 ein wichtiger Begriff in der philosophischen Alltagsdiskussion, es war das Fundament sowohl der josefinischen Aufklärung als auch der österreichischen Spätaufklärung. Eine Reihe katholischer Priester, die sich bis zu ihrer Maßregelung durch das Metternichsche Regime besonders um die Priesterausbildung bemühten, sahen in der Propagierung eines obersten Sittengesetzes, das keiner weltlichen und kirchlichen Autorität verpflichtet ist die Möglichkeit einer Reform des Katholizismus, einer Reform, in der sich Aufklärung und Religiosität nicht ausschließen sollten. Zentrum dieser Bewegung war der Prager Professor für Religionswissenschaft: Bernard Bolzano.
Für Bolzano ist das allgemeine Sittengesetz eine Grundlage seiner *Wissenschaftslehre*, es ist aber auch von zentraler Bedeutung in dem von ihm verfassten *Lehrbuch der Religionswissenschaft*, und es ist der leitende Gedanke für seine erzieherische Tätigkeit: In seinen *Erbauungsreden*, die er vor den Studenten der Prager Universität von 1805 bis 1820 in der Salvator-Kirche im Prager Klementinum gehalten hat, kreisen alle seine philosophischen und religiösen Überlegungen um dieses Gesetz. Aus diesen *Erbauungsreden* wurde das philosophische Alltagswissen der damaligen Zeit abgeleitet, da sie außerhalb der Universität diskutiert wurden, in Abschriften kursierten und einige 1813 von Bolzano selbst herausgegeben wurden. Nach dessen Tod erschienen sie in 4 Bänden von 1849 bis 1852 im Druck.[4]
Das oberste Sittengesetz ist für Bolzano eine Grundwahrheit, ein „Satz an sich", auf dem sich, obwohl er jenseits einer bloß erscheinenden Wirklichkeit liegt, das menschliche Handeln beziehen kann. Bolzano definiert es als „die letzte und oberste Regel des Wirkens für alle vernünftigen Wesen", und indem es die Glückseligkeit des einzelnen Menschen fördert, trägt es zur „Beförderung des allgemeinen Wohles" bei.[5] Im *Lehrbuch der Religionswissenschaft* unter § 249 heißt es dazu: „Handle immer so, wie es das allgemeine Beste, oder das Wohl des Ganzen erfordert."[6] Es gibt für Bolzano, der ursprünglich Mathematik[7] zu seinem Wissens- und Forschungsgebiet gewählt hatte, keinen Unterschied zwischen den ethischen Wahrheiten und denen der Geometrie, da beide den Gesetzen der Vernunft untergeordnet sind. Die Geltung des Sittengesetzes ist für ihn universell, selbst Gott ist ihm verpflichtet. In einer *Erbauungsrede* aus dem Jahre 1812 führt er aus:

„Mit welcher Achtung muß uns denn also nicht die Erwägung des Sittengesetzes erfüllen, wenn wir bedenken, dies ist das einzige Gesetz, welchem selbst Gott, der allein Mächtige, der unumschränkte Herrscher, der König der Könige gehorcht und gehorchen muß, wenn er nicht aufhören soll, Gott und vollkommen zu sein."

Das Sittengesetz ist also nicht von Gott verordnet, es ist ein „Grund"-Satz, dessen Abglanz bestätigt wird durch die Erfahrungen, die aus der Praxis des menschlichen Zusammenlebens gewonnen werden, aus Erfahrungen, die dieses Zusammenleben in friedlicher Weise ermöglichen würden. Dem Priester und Philosophen Bolzano geht es, wenn er sich auf das Sittengesetz beruft, um Vervollkommnung und Universalisierung der christlichen Ethik im Sinne der Aufklärung, um eine Humanisierung und um eine Stärkung der sozialen Verantwortung vor allem der Wohlhabenden und Gebildeten. Diese Tendenzen waren nicht zuletzt der Grund für seine Absetzung als Professor und die Aufforderung, Teile seiner Lehre zu widerrufen.[8] Dazu aber war Bolzano nicht bereit; denn das oberste Sittengesetz war für ihn nämlich nicht allein durch sein Denken verbürgt, sondern auch durch das Wissen, „daß die weiseren Sittenlehrer aller Jahrhunderte und Völker in der Angabe der einzelnen Pflichten der Menschen wirklich mit einer so großen Übereinstimmung verfahren, wie man sie kaum in einer anderen Wissenschaft, mit Ausnahme der Mathematik, antrifft."[9] Zutrauen zu diesem Sittengesetz aber erlangt man in Sonderheit dann, wenn man Gelegenheiten veranstaltet, „nach Anleitung dieses Satzes zu handeln, ihn zu gebrauchen, auf ihn zu bauen. Und so wie in der physikalischen Natur der Grundstein um so fester wird, je mehr man auf ihn aufbaut, so wird auch der angenommene Grundsatz immer festere Wurzel greifen, je öfter man ihn praktisch angewendet hat."[10]

Bolzano hat fast in allen seinen *Erbauungsreden* Beispiele für das geforderte Handeln gegeben. Einzelne Beobachtungen, aus denen ein allgemeines Gesetz abgeleitet wird, und allgemeine Gesetzmäßigkeiten, die durch Erfahrungen bestätigt werden, führen bei Bolzanos Darstellung des Sittengesetzes zu einer Verschmelzung von induktiver und deduktiver Beweisführung.
Das ist nun aber genau die Verfahrensweise, die auch Stifter in der „Vorrede" zu den *Bunten Steinen* anwendet, wenn er sich einerseits allgemein auf das Sittengesetz beruft und andererseits darauf, dass „immer die gewöhnlichen alltäglichen in Unzahl wiederkehrenden Handlungen der Menschen" es sind, „in denen dieses Gesez am sichersten als Schwerpunkt liegt" (HKG 2,2; 14); und auch Stifter gibt in seinen Erzählungen Beispiele für die Wirkungen des Sittengesetzes.
Dieser auffallenden Gemeinsamkeit entspricht auch die Hinwendung zur Literatur bei Bolzano und Stifter. Bolzano beruft sich in den *Erbauungsreden* wiederholt auf die Dramen Shakespeares, in denen im Untergang der tragischen Helden das Sittengesetz bestätigt und verherrlicht wird; Stifter stellt dazu in seiner Schrift *Über die Behandlung der Poesie in Gimnasien*[11] ganz im Sinne Bolzanos fest:

„Das höchste Gesez des Menschen als Menschen, wodurch er einzig von allen Geschöpfen absteht, ist das Sittengesez. Es ist das menschlichste, also für ihn zusagendste, und jede Kraftentfaltung in Folge desselben, wenn sie sinnlich wahrgenommen werden kann, entzückt. *Das Schöne ist also das Sittengesez in seiner Entfaltung und durch sinnliche Mittel wahrnehmbar.* [...] in den Gebilden Shakespeares tritt uns die ganz Gewalt und Macht des Sittenbewusstseins entgegen: man denke an Macbeth, Richard, Lear. Nur auf diesem Hintergrunde der Furchtbarkeit und Majestät des Sittengesezes vermögen uns seine Entwicklungen und Begebnisse so zu ergreifen und zu erschüttern." (HKG 8,1; 127f.)

Stifters Aufsatz zeigt darüber hinaus eine gewisse Nähe zu Bolzanos Studie *Über den Begriff des Schönen*, die 1843 in Prag erschienen ist. Wenn Stifter schreibt, dass bei der Betrachtung des Schönen Phantasie, Sinn, Verstand, Herz und Gemüt ergriffen werden „und in ihren Wirkungen endlich gar die Vernunft" (HKG 8,1; 139), so heißt es bei Bolzano: „Alle auf das Erkennen gerichteten Kräfte, also nebst unserem Anschauungsvermögen, auch unser Gedächtniß, unsere Einbildungskraft, unser Verstand, unsere Urteilskraft, unsere Vernunft sogar, sollen bei der Betrachtung des Schönen mitwirken".[12]
Soweit sich also Stifter auf das Sittengesetz beruft, bewegt er sich im Gedankenkreis Bolzanos, auch dessen Annahme, dass selbst Gott dem Sittengesetz unterworfen ist, kehrt variiert bei Stifter wieder. In einer späten Schrift, einer Rezension aus dem Jahre 1862 über das Theater in Linz, heißt es: „Das Schiksal der Griechen, dem selbst die Götter unterlagen, ist einer der größten Gedanken menschlichen Geistes, es ist die Empfindung des Sittengesezes in antiker Art, dem jeder, der dagegen ankämpft, unterliegt" (HKG 8,1; 92). Kunst und Literatur werden jeweils darnach beurteilt, wie weit sie den Forderungen des Sittengesetzes Genüge tun; denn „das Sittengesetz durch den Reiz der Kunst zur Anschauung gebracht, ist der Kern der Kunst, wie es als Gutes das Wesen der Religion als Wahres das der Wissenschaft ist." (HKG 8,1; 102)
In der Stifter-Forschung sah man bisher in der Berufung auf das Sittengesetz eine Auswirkung des Kantischen kategorischen Imperativs. Vor allem Sepp Domandl stellt in seinem Aufsatz *Die philosophische Tradition in Adalbert Stifters „Sanftem Gesetz"*[13] das so dar, als sei Stifter ein belesener Kantianer gewesen. Als Stifter-Leser hat ihn der Rigorismus Kants nicht gestört, der darauf besteht, dass der Mensch erst dann sittlich gut handelt, wenn er die Pflicht um der Pflicht willen

tut, und dass nach Kant von Sittlichkeit nicht die Rede sein kann, solange Vorteil und Neigung bei einer Tat mitbeteiligt sind. Kant kennt nur den „unbedingten", den kategorischen Imperativ. Bolzano hat eben wegen dieser Auffassung Kant heftig kritisiert, er und nach ihm Stifter kennen nämlich im Hinblick auf das Sittengesetz den Unterschied zwischen Pflicht und Neigung nicht, für sie ist es ein im Laufe der menschlichen Evolution gewonnener Schatz von Erfahrungen, es genügt ihnen, wenn das Denken und das Handeln auf dieses Gesetz bezogen bleibt, wenn das Handeln dem Wohl des Ganzen dient, wenn es dazu führt, dass der Mensch „seine höhere Laufbahn gehen könne" (HKG 2,2; 13). Im § 144 der *Wissenschaftslehre* stellt Bolzanos fest: „Eine Willensentscheidung, die sittlich gut genannt wird, mag sie nun eine bestimmte Pflicht und Schuldigkeit, oder nur etwas Löbliches und Verdienstliches heißen"[14], entspricht dem Sittengesetz. Nur weil das Sittengesetz bei Stifter nicht auf den kategorischen Kantischen Imperativ bezogen ist, lässt es sich mit der Vorstellung eines „sanften Gesetzes" vereinbaren.

Es ist aber nicht allein die Einschätzung des Sittengesetzes, die Stifters Nähe zu Bolzano erkennen läßt. Es entsprechen auch die kurzen Beschreibungen einer undogmatischen Religionsausübung, die Nichtbeachtung konfessioneller Unterschiede und die Art und Weise, wie Stifter religiöse Themen oder rituelle Formen in seinen Erzählungen behandelt, den Auffassungen Bolzanos. Bolzano hat die Evangelien nicht wörtlich und als historisches Geschehen verstanden, sondern weithin als Bilder und literarisch-symbolische Erzählungen.
Indirekt fließt Bolzanos Gedankengut in hohem Maße in den *Witiko* ein; einmal, weil der Hauptgewährsmann Stifters für die Geschichte Böhmens der Bolzanist Franz Palacky ist, zum andern, weil Stifter den sprachlichen Unterschied zwischen Tschechen und Deutschen völlig außer Acht lässt. Bolzano war nämlich strikt gegen die romantische, von Herder propagierte Vorstellung einer Sprachnation und dem damit verbundenen Nationalismus. Im Jahre 1816 hielt er drei Vorträge an der Prager Universität *Über das Verhältniß der beiden Volkstämme in Böhmen*, Vorträge, die in Wien 1849 nachgedruckt wurden. Darin führt er aus, dass Unterschiede der Sprache „im Grunde blos den äußeren Menschen betreffen", und fordert seine Landsleute auf, sich von Kindheit an spielend mit der jeweils anderen Landessprache vertraut zu machen. Ziel der Erziehung muss es sein, sich in beiden Landessprachen verständigen zu können. In den *Erbauungsreden* fordert er seine Studenten auf: „Weg denn mit dieser Scheidewand! Böhmen und Deutsche! Ihr müßet ein Volk ausmachen, ihr könnt nur stark sein, wenn ihr euch freundschaftlich vereinigt, als Brüder müßet ihr euch ansehen."[15] Stifter geht im *Witiko* offensichtlich auf diese Wunschvorstellung Bolzanos ein; er ignoriert den Sprachunterschied von tschechischen und deutschen Wald- und Edelleuten (was ihm dann auch deutschnationale Kritiker übel genommen haben), und Stifter schließt sich Bolzano an, der ausführt, dass das Bild von der wesentlichen Gleichheit aller Menschen durch den Unterschied der Sprache nicht verdunkelt werden dürfe. Erst die Verschiedenartigkeit macht ein Ganzes. Um dieses Ganze zu erreichen kommt in Böhmen den Schriftstellern als den Vermittlern zwischen den beiden Volksstämmen eine entscheidende Bedeutung zu, weil sie die Möglichkeit haben, „Schriften zu verfassen, welche den Gemeingeist in unserem Lande fördern"[16] und Deutschtümelei und Tschechomanie hintanhalten. Die Widmung des *Witiko* entspricht nun genau diesem Programm Bolzanos. Mit ihr weist sich Stifter als Böhme aus: „Seinen Landsleuten insbesonders der alten ehrwürdigen Stadt Prag widmet diesen Dichtungsversuch aus der Geschichte seines Heimathlandes mit treuer Liebe der Verfasser", und in einem Brief an den Gemeinderat der Stadt Prag, in dem seit 1861 die tschechischen Mandatare in der Mehrzahl waren, schreibt Stifter: „Meine Anhänglichkeit an das Land hat mir eingegeben, diesen Dichtungsversuch meinen Landsleuten [...] zu widmen." (28. Mai 1865, HKG 5,5; 17)[17]

Schließlich sind auch der Handlungsverlauf des *Witiko*-Romans und die darin vermittelte Geschichtsauffassung parallel geführt zur teleologischen Religions- und Staatsentwicklung, wie sie Bolzano vorschwebt. Bei Stifter sollte es einmal dazu kommen, dass „die Völker nicht mehr allein sind, dass sie sind, wie Mensch und Mensch, wie Nachbar und Nachbar, wie Freund und Freund" (HKG 5,2; 42); Bolzano fordert, dass Religionen jeweils „das möglich größte Wohl des Ganzen" zu verwirklichen hätten und dass eine im aufklärerischen Sinn gedachte Perfektibilität des Christentums Ziel aller Bemühungen sein müsse und auf diese Weise auch zu einem idealen Staat führen würde.[18]

Wenn man zuletzt noch das geistige Umfeld bedenkt, in dem sich Stifter in Wien bewegt hat, ist die Nähe zum Gedankengut Bolzanos nicht überraschend. Stifter stand in Wien einem Kreis von Bolzanisten nahe, die mit ihrem Lehrer einen engen brieflichen Kontakt pflegten, obwohl dies von den Behörden mit gespannter Aufmerksamkeit beobachtet wurde. Abgesehen vom Unterrichtsminister Graf Leo Thun, der Bolzano jahrelang finanziell unterstützte und es ermöglichte, dass sich Bolzano nach seiner Absetzung in dem kleinen südböhmischen Dorf Tiechobus eine umfangreiche wissenschaftliche Bibliothek aufbauen konnte, war es vor allem Richard Exner, der Leiter der Unterrichtsreform-Kommission, der mit der Philosophie Bolzanos bestens vertraut war[19] und der für seine Reformbestrebungen Schüler und Freunde Bolzanos nach Wien berief. Einer seiner wichtigsten Mitarbeiter war der von Jugend an mit Bolzano befreundete Priester Anton Kumbholz (1790-1869); er wurde von Exner zum Leiter des österreichischen Volksschulwesens ernannt; war also ein unmittelbarer Ansprechpartner für Stifter. Zu den Bolzanisten zählte auch Michael Josef Fesl, ein wegen der Verbreitung der Lehren Bolzanos zu mehrjähriger Klosterhaft verurteilter Priester, der unermüdlich für die Verbreitung der Schriften Bolzanos tätig war, 1836 hatte er dessen Autobiographie herausgegeben und erläutert.[20] Auch Christian Doppler, den Bolzano als außergewöhnlich begabten Wissenschaftler überaus schätzte und seinen „lieben Freund" nannte, gehörte zu diesem Wiener Kreis. Doppler, auf Vermittlung Exners 1846 zum ordentlichen Mitglied der kaiserlichen Akademie der Wissenschaften ernannt, wurde von Prag nach Wien berufen, und Bolzano würdigte seine Arbeiten in mehreren Rezensionen. Auch der einflussreiche, an der Wiener Universität lehrende Philosophieprofessor Robert Zimmermann war als Nachlaßverwalter mit dem Gedankengut Bolzanos eng vertraut.[21]
Stifters pädagogische Ambitionen sind zweifellos durch die in Wien in amtlichen Funktionen wirkenden Bolzanisten entscheidend gefördert worden. Stifter wurde von Exner zur Mitarbeit an der Unterrichtsreform eingeladen, die er durch seine Beiträge in der *Constitutionellen Donauzeitung* und in der Artikelreihe im *Wiener Boten* publizistisch begleitete. In der Beilage zur *Augsburger Allgemeinen Zeitung* vom 14. Jänner 1849 nimmt er dann unmittelbar auf die nötigen Reformen im Unterrichtswesen Bezug und spricht dort von der tausendjährigen Sünde, „daß man ganze Schichten der menschlichen Gesellschaft in einem Zustande ließ, in welchem sie, menschlich unfrei und unentwickelt, die Opfer ihrer Leidenschaften waren."[22] Dieser journalistischen Tätigkeit und seiner Bekanntschaft mit Exner verdankte Stifter nicht zuletzt die Ernennung zum Schulrat. Sein Engagement als Schulreformer war dem Leitsatz Bolzanos verpflichtet, dass Fortschritt allein durch Erziehung und Unterricht erreichbar sei. In seiner Rede *Über das Verhältnis der beiden Volkstämme in Böhmen* stellt Bolzano fest: „Ich glaube, daß der Mensch Alles, was er ist, durch die Erziehung und durch die *Umstände* werde."[23] Der Briefwechsel mit Richard Exner bezeugt das Ansehen, das sich Stifter bei den Schulreformern erworben hatte, und zeigt zugleich, wie er sich ihnen verpflichtet fühlte.[24]
Die Begegnung Stifters mit Freunden und Schülern Bolzanos und die im Freundeskreis über dessen Lebensweise geführten Gespräche haben allem Anschein nach das Interesse Stifters auch an der Biographie Bolzanos geweckt. Den Priester, der in einem kleinen mährischen Dorf nach seiner Absetzung lebte, dort die Kinder unterrichtete, Anregungen zu Schulgründungen gab, sich

um die soziale Besserstellung der Arbeiter bemühte, nahm sich Stifter zum Vorbild für den Pfarrer in der Erzählung *Kalkstein*. In den Erläuterungen in der von Fesl herausgegebenen *Lebensbeschreibung* wird Bolzano „Wohlthäter" und „Kinderfreund" genannt, und die Journalfassung der Erzählung Kalkstein heißt *Der arme Wohlthäter*. Ob Zufall oder nicht: In der Entstehungszeit der Erzählung erschien in Prag die Broschüre Bolzanos *Über die Wohlthätigkeit. Dem Wohl der leidenden Menschheit gewidmet von einem Menschenfreund.*[25]

Die Konfrontation mit Bolzano und dem Prager und Wiener Bolzanokreis macht deutlich, dass Stifter stärker mit der österreichischen philosophischen Tradition verbunden ist, als man das bisher wahrgenommen hat. Die Auffassung von Sittlichkeit als Religion, wie sie in den Erzählungen Stifters anklingt, erweist sich als das Weiterwirken des obersten Sittengesetzes im Sinne Bolzanos und als Auswirkung der österreichischen Form der Spätaufklärung, deren Promotor durch die gegenwärtige Bolzano-Forschung allmählich ins öffentliche Bewusstsein gerückt wird.[26]

1 Carl von Rotteck: *Allgemeine Weltgeschichte von den frühesten Zeiten bis zum Jahr 1840*. 5 Bände. 5. Auflage, Bd. 1, Stuttgart 1846, S. 16. Zu weiteren Anregungen zur "Vorrede" vgl. Walter Hettches Kommentar in HKG 2,3; 80-121. (Zu HKG vgl. Anm. 3).

2 Brief an Mathias Greipl vom 4. Juli 1830; zu den Erfahrungen jugendlicher Unbeherrschtheit kommen die für Stifter verstörenden Ereignisse der Revolution von 1848.

3 HKG Band; Seite = Adalbert Stifter: *Werke und Briefe. Historisch-kritische Gesamtausgabe*, hrsg. von Alfred Doppler und Wolfgang Frühwald (seit 2001 Hartmut Laufhütte). Stuttgart u. a. 1978ff.

4 Die *Erbauungsreden* sind neuerdings in verschiedenen Ausgaben zugänglich: Bernard Bolzano: *Erbauungsreden. Bolzano-Brevier. Sozialethische Betrachtungen aus dem Vormärz*, ausgewählt und hrsg. von Eduard Winter. Wien 1947. Bernard Bolzano: *24 Erbauungsreden*. 1808-1820, nach Originalhandschriften transkribiert und hrsg. von Kurt F. Strasser. Wien-Köln-Weimar 2001. Eine Übersicht über alle erhalten gebliebenen Erbauungsreden gibt Kurt F. Strasser: *Bernard Bolzanos Erbauungsreden. Prag 1805-1820. Kurzfassungen*. St. Augustin 2004 (= *Beiträge zur Bolzano-Forschung*, hrsg. von Edgar Morscher und Otto Neumaier, Bd. 18.) Der genaue Titel des von Bolzano selbst herausgegeben Bandes lautet: *Erbauungsreden für Akademiker.* Von Bernard Bolzano, Weltpriester, Doctor der Weltweisheit, und k. k. ordentlicher Professor der Religionsphilosophie an der Karl Fernandeischen Universität. Prag 1813, bey Caspar Widtmann.

5 Zit. n. Jaromir Loužil: *Bernard Bolzanos Sitten- und Gesellschaftslehre.* In: *Bernard Bolzano. Leben und Wirkung,* hrsg. von Curt Christian. Wien 1981 (= *Österreichische Akademie der Wissenschaften. Philosophisch-Historische Klasse. Sitzungsberichte* Bd. 391), S. 5-28, hier S. 10. Dieser aufschlussreichen Arbeit verdanke ich entscheidende Anregungen. Zur Problematik des Sittengesetzes vgl. auch Eduard Winter: *Die Sozial- und Ethnoethik Bernard Bolzanos. Humanistischer Patriotismus und romantischer Nationalismus im vormärzlichen Österreich. Bernard Bolzano contra Friedrich Schlegel. Eine Dokumentation.* Wien 1977 (= *Österreichische Akademie der Wissenschaften. Philosophisch-Historische Klasse. Sitzungsberichte* Bd. 361), S. 39-46. – Zum „Satz an sich" vgl. Karl Hübner: *Der mystische Rationalismus der deutschen Philosophie Böhmens im 19. Jahrhundert und seine Entwicklung.* In: *Schriften der sudetendeutschen Akademie der Wissenschaften und Künste* Bd. 17: *Vorträge und Abhandlungen aus geisteswissenschaftlichen Bereichen.* München 1996, S.130-137.
Im Intertnet: *Bernard Bolzano:* http//www.austria.cz/kultur/bolzano/lebenundwerk.html (Die Internet-Seiten geben einen guten Einblick in die Lebenssituationen und die Grundgedanken der philosophischen Werke).

6 Bernard Bolzano: *Lehrbuch der Religionswissenschaft.* Sulzbach 1834 (jetzt auch in der 1. Abteilung der *Bernard-Bolzano-Gesamtausgabe*).

7 Als Mathematiker trug Bolzano zur Begründung der Mengenlehre bei. Der *„Bolzano-Weierstraßische Satz"* lautet: „Jede beschränkte Zahlenfolge mit unendlich vielen verschiedenen Gliedern besitzt einen Häufungspunkt."

8 In Wien und Rom hielt man Bolzanos Predigten für unvereinbar mit der katholischen Lehre. Sowohl die Vertreter der österreichisch-katholischen Restauration, die dynastisch habsburgische Interessen gegenüber

aufklärerischen Gedanken verteidigte, als auch die römisch-katholische Restauration, die den absoluten Primat des Papstes gefährdet sah, strebten das Verfahren zur Absetzung Bolzanos an, das durch ein Hofdekret vom 24. Dezember 1819 zur Enthebung Bolzanos von seiner Lehrkanzel führte. Bolzano aber empfand diese Enthebung nicht nur als Demütigung, sondern auch als Möglichkeit, in der Abgeschiedenheit des südböhmischen Dorfes Tiechobus seine mehrbändigen Hauptwerke auszuarbeiten.

[9] Eduard Winter: *Die Deduktion des obersten Sittengesetzes Bernard Bolzanos in historischer Sicht*. Berlin 1968, S. 29.

[10] Eduard Winter: *Bernard-Bolzano-Gesamtausgabe*. Bd. 1. Stuttgart-Bad Cannstadt 1969, S. 26.

[11] Der nicht vollendete Text war allem Anschein nach für die *Zeitschrift für die österreichischen Gymnasien* gedacht, deren Mitarbeiter Stifter gewesen ist, und dürfte Ende 1849 entstanden sein. Wahrscheinlich hat Stifter Bolzanos Schrift *Über den Begriff des Schönen* gekannt, als er 1847 ein *Gesuch um die Bewilligung öffentlicher Vorträge über Ästhetik* (HKG 8,1; 201-215) einreichte.

[12] Bernard Bolzano: *Über den Begriff des Schönen*. Prag 1843, S. 19.

[13] Sepp Domandl: *Die philosophische Tradition in Adalbert Stifters „Sanftem Gesetz"*. In: *VASILO* 21 (1972), S. 79-103. Innerhalb der Stifter-Forschung hat lediglich Walter Hettche in seinem ausführlichen Kommentar zur „Vorrede" eine Anregung durch Bolzano erwogen (HKG 2,3; 107f.).

[14] Bernard Bolzano: *Wissenschaftslehre*. Sulzbach 1837 (jetzt auch in der 1. Abteilung der *Bernard-Bolzano-Gesamtausgabe*).

[15] Bernard Bolzano: *Über das Verhältniß der beiden Volkstämme in Böhmen. Drei Vorträge im Jahre 1816 an der Hochschule zu Prag gehalten*. Wien 1849 (Reprint Amsterdam 1969), S. 23 und *Erbauungsreden. Herausgegeben von einigen seiner Freunde*, Bd. 2, Prag 1850, S. 155.

[16] Bolzano: *Über das Verhältnis der beiden Volksstämme in Böhmen* (Anm. 15), S. 50.

[17] Vgl. dazu den Stellenkommentar zum *Witiko* von Alfred Doppler und Wolfgang Wiesmüller in HKG 5,5; S. 16-20.

[18] Brief Bernard Bolzanos an Michael Josef Fesl. In: *Wissenschaft und Religion im Vormärz. Der Briefwechsel Bernard Bolzanos mit Michael Josef Fesl 1822-1844*. Berlin 1965, S. 360. – Dazu auch Bernard Bolzano: *Über die Perfektibilität des Katholizismus. Streitschriften zweier katholischer Theologen, zugleich ein Beitrag zur Aufhellung einiger wichtiger Begriffe aus Bolzanos Religionswissenschaft.* Leipzig 1845.

[19] Zur Beziehung zwischen Bolzano und Exner vgl. den *Bolzano-Exner-Briefwechsel*, hrsg. von Eduard Winter. Prag 1935.

[20] *Lebensbeschreibung des Dr. B. Bolzano mit einigen leider ungedruckten Aufsätze [!] und dem Bildnisse des Verfassers eingeleitet und erläutert von dem Herausgeber* [Josef Michael Fesl]. Sulzbach (J. E. von Seidelsche Buchhandlung) 1836.

[21] Zum Wiener Bolzanisten Kreis vgl. Brigitte Mazohl-Wallnig: *Der Einfluß Bolzanos und der Bolzanisten auf die österreichische Universitätsreform der Jahre 1848/49*. In: *Bernard Bolzano und die Politik. Staat, Nation und Religion als Herausforderung für die Philosophie im Kontext von Spätaufklärung, Frühnationalismus und Restauration*, hrsg. von Helmut Rumpler. Wien-Köln-Graz 2000 (= *Studien zur Politik und Verwaltung*, Bd. 61), S. 221-246. Zur Tätigkeit der Bolzanisten in der Unterrichtsreform-Kommission vgl. Eduard Winter: *Bernard Bolzano. Ein Lebensbild. (Bernard-Bolzano-Gesamtausgabe, Einleitungsband)*. Stuttgart-Bad Canstatt 1969, S. 158 ff.

[22] Adalbert Stifter: *Sämmtliche Werke*, begr. u. hrsg. von August Sauer, fortgef. von Franz Hüller, Gustav Wilhelm u. a. Prag 1904ff. (Prag-Reichenberger-Ausgabe). Bd. 16, S. 46.

[23] Bolzano (Anm.15), S.23.

[24] Überliefert sind 10 Briefe an Richard Exner. Der Brief vom 9. November 1849 nimmt Bezug auf die Einladung, an der Unterrichtsreform mitzuwirken.

[25] Dass bei der Konzeption der Figur auch Erinnerungen an Stifters Kremsmünsterer Lehrer P. Placidus Hall eingeflossen sein können, wie Moriz Enzinger meint, ist durchaus möglich.

[26] Vgl. dazu die groß angelegte *Bernard-Bolzano-Gesamtausgabe*, die seit 1969 erscheint. Bisher sind 66 Bände veröffentlicht worden. Die Ausgabe ist in 4 Abteilungen gegliedert. Die 1. Abteilung enthält *Das Lehrbuch der Religionswissenschaft* und *Die Wissenschaftslehre*; die 2. Abteilung *Mathematische und philosophische Schriften*; die 3. Abteilung *Briefwechsel*; die 4. Abteilung *Dokumente*; als Anhang sind derzeit 3 Bände *Bolzano-Bibliographie* veröffentlicht.

SHRNUTÍ

WOLFGANG WIESMÜLLER
Pražsko-liberecké vydání a nové historicko-kritické vydání díla A. Stiftera. Srovnání na základě svazků románu *Vítek*

Vedle kritického vydání Souborných spisů [*Sämmtliche Werke*] Adalberta Stiftera, tzv. pražsko-libereckého vydání [die Prag/Reichenberger Ausgabe (PRA)], jež založil v r. 1901 August Sauer, vzniká od r. 1978 historicko-kritické souborné vydání Stifterových děl a dopisů *Werke und Briefe* (HKG), které vydávají Alfred Doppler a Wolfgang Frühwald (od r. 2001 Hartmut Laufhütte). Nejedná se o vztah konkurence mezi oběma vydáními, nýbrž o historii edičního vývoje. Na příkladu srovnání komentářů ve svazcích románu *Vítek* vyšlých v PRA a v HKG příspěvek ukazuje, jak se v průběhu času měnil pohled na vznik díla, historickou látku a historické prameny, stejně jako na dobovou recepci *Vítka*. Zatímco Franz Hüller nazírá v PRA tento román v duchu goethovské filologie jako završení autorova organologického vývoje a velebí Stifterova *„vyzrálého uměleckého ducha"*, HKG zdůrazňuje napětí a zátěž, jimž byl Stifter při práci na *Vítkovi* vystaven, a soustřeďuje se na usilovný zápas o toto dílo. Pokud jde o Stifterův vztah k historii a k pramenům, řídí se Hüller v PRA Stifterovými vlastními výpověďmi týkajícími se jeho věrnosti historické pravdě a jeho záměru zobrazit působení „mírného zákona" v dějinách. HKG oproti tomu dokládá, jak se Stifter opakovaně od historických pramenů odchyluje, a usuzuje z toho na jeho problematický vztah k dějinám, jenž vyplývá ze Stifterových nejistých historicko-filozofických postulátů. Dobovou recepci *Vítka* představuje HKG v literárněhistorickém a historicko-politickém kontextu, zatímco Hüller na pozadí česko-německého napětí ve své vlastní době zdůrazňuje vizionářsky smířlivý aspekt románu. HKG poprvé – a tím přesahuje PRA – předkládá obsáhlý komentář k jednotlivým místům v textu, který poskytuje materiály a informace pro různé přístupy k tomuto dílu.

JOHANNES JOHN
Kapitola *Markétka* v různých verzích Z *kroniky našeho rodu*

Próza Z *kroniky našeho rodu* zaměstnávala Adalberta Stiftera po celý život: je známa celkově ve čtyřech verzích. Po prvním otištění ve *Wiener Zeitung* (1841/42) je text pro uveřejnění ve *Studiích* v r. 1847 již důkladně zrevidován a podstatně rozšířen. Dvě poslední, „pozdní" Kroniky, na nichž Stifter pracoval mezi lety 1864–1867, zůstaly nedokončeny, avšak dochovaný rukopisný materiál, který již byl editován v rámci *Historicko-kritického vydání děl a dopisů Adalberta Stiftera* ve svazcích 6,1 a 6,2, jakož i v integrálním svazku s aparátem 6,3, ukazuje, jak intenzivně se Stifter v posledních letech svého života touto látkou ještě jednou zabýval a přitom ji zcela nově koncipoval. Velmi názorně to lze doložit na příkladu kapitoly *Markétka* a v ní na epizodě slavnosti glajchy v nově postaveném plukovníkově domě, jež byla pro 4. verzi výrazně přepracována. Nepřehlédnutelná je přitom proměna stylu: věcně střízlivě a „neumělým" jazykem, redukovaným povětšině na nejnutnější, se – jak se zdá – registruje pouze faktické a „popisuje" se přiřazovaním, jež nezná rozlišení. Článek se pokouší detailně prokázat, jak problematický je ve stifterovském bádání stále používaný termín „čistě deskriptivního" a jakým začasté subtilním způsobem Stifterův způsob vypravování pořádá, zvažuje a klade těžiště. Analýza gnozeologického zájmu a vyprávěcích strategií, které při tom určují a vedou Stifterův „etnografický pohled", by mohla pomoci k diferencovanějšímu pohledu na to, co Stiftera s konceptem „realistického" vyprávění spojuje a co jej od něj odlišuje.

PETER BECHER

August Sauer jako zakladatel vědeckého bádání o A. Stifterovi

Germanista August Sauer (1855-1926) vyučoval od r. 1886 až do své smrti na pražské německé univerzitě. Jako dlouholetý předseda Společnosti pro podporu německé vědy, umění a literatury v Čechách (Gesellschaft zur Förderung deutscher Wissenschaft, Kunst und Literatur in Böhmen) a někdejší rektor patřil k vynikajícím vědcům a osobnostem německé společnosti v Praze. V rámci své literárněvědné činnosti dal Sauer v r. 1899 impuls k vydávání „kritického souborného vydání Stifterových děl", která začala vycházet od r. 1901 v c. a k. dvorním a univerzitním knihkupectví J. G. Calveho v Praze. Sauer se při tom osvědčil jako prozíravý organizatáror i interpret, jenž prokázal nejednoznačnost Stifterova díla, aniž by ovšem postihl kvalitu jeho pozdních textů, jež odmítal jako rozvláčné a nepovedené.

GERHARD TRAPP

Aspekty stifterovské recepce u Johannese Urzidila

Literární kritika popisuje Johannese Urzidila vesměs jako Stifterova (a Kafkova) následovníka. Příspěvek zkoumá z různých hledisek, do jaké míry je toto tvrzení pravdivé, či zda se naopak ukazuje jako nedostatečné. První hledisko se týká vlastních Urzidilových literárněhistorických prací, přičemž se ukazuje, že jeho publikace zabývající se Stifterem zůstavají ve své kvantitě daleko za těmi, v nichž se věnoval Goethovi. Až do emigrace v r. 1939 spatřoval Urzidil ve Stifterovi především z politicky dobově aktuálního hlediska integrující osobnost v česko-německých konfliktech, jako humanistu z Čech, kterému přičítal pro obě strany velkou závaznost.
Od r. 1939 se v exilu v Anglii a v New Yorku stává Stifter pro Urzidila součástí jeho naléhavé literárně vzpomínkové práce a lze ho zřetelně zachytit zejména v několika povídkách, jež jsou zasazeny na Šumavu. V nich se přítomné myšlenkové a částečně stylistické přiblížení ke Stifterovi vymezuje vůči ostatním Urzidilovým prozaickým dílům, která se silněji orientují na konstrukční principy užívané literární modernou, přičemž nelze přehlédnout rovněž zásadně odlišnou strukturu osobnosti obou autorů: Jestliže si Stifter vyvzdoroval své dílo s enormní energií a obrovskou vůlí po stylu jako protiklad vlastního života poznamenaného depresemi a introvertností, pak zdroje Urzidilovy spisovatelské motivace spočívají naopak v zásadně nezlomné důvěře v aktivní život (vita activa), o jehož aktivní utváření v duchu Goethově Urzidil navzdory všem katastrofám 20. století usiloval a přitakal mu.

JIŘÍ KOŘALKA

Stifterův *Witiko* z pohledu historika

Mocenské boje uvnitř knížecího rodu Přemyslovců od poloviny 12. století, které přitažlivě vylíčil František Palacký v prvním díle svých německy psaných *Dějin Čech* (první vydání 1836, třetí otisk tohoto vydání 1864), podnítily spisovatele Adalberta Stiftera k sepsání třísvazkového románu *Witiko* (poprvé vydán v Pešti 1865, druhý a třetí díl 1867). Přestože Stifter zvolil název svého díla podle historické osobnosti, doložené v pramenech, podle zakladatele rodu Rožmberků, není ústřední postavou románu tento Vítek z rodu Růže, nestojí v popředí ani vládnoucí knížata Soběslav a Vladislav, ale hlavní pozornost autora přitahuje široký sbor vévodů, biskupů a jiných příslušníků zemské šlechty, z nichž většina jmen je převzata z vyprávění pokračovatelů Kosmovy kroniky. Jazykový problém ponechal Stifter úplně stranou, ale je pozoruhodné, že se již v tisku prvního vydání snažil v českých jménech osob uplatnit české háčky, i když pešťská tiskárna s tím měla některé problémy. Celkové pojetí Stifterova *Witika* bývá označováno jako „konzervativní utopie", projevující se nejen líčením nerušeného supraetnického soužití Čechů a Němců v Čechách, ale především sympatiemi autora ve prospěch řádu oproti anarchii, ve prospěch stavovského zřízení a patriarchálních hodnot oproti konstitučnímu liberalismu a moderní demokracii.

JOHANN LACHINGER

Adalbert Stifter v Čechách. Životopisně literární interakce

Článek je pokusem o rozvinutí ústředního, stejně jako souhrnného tématu Stifter a Čechy z hlediska životopisně-psychologického. Literární metamorfózu tohoto komplikovaného vztahu autora a jeho subjektivní problematiky se pokouší osvětlit jako estetickou kompenzaci zážitku existenciálního odcizení ve velkoměstě. Ztráta životní orientace vyvolala dlouhodobou krizi, kterou umělec dokázal zvládnout pouze ve virtuálním „návratu v tvorbě". Profesní „ztroskotání ve Vídni" a marný pokus o navázání kontaktu s českou zemí, odkud pocházel, prostřednictvím trvalého milostného vztahu k milované Fany Greiplové z Frymburku vytvořily básnický potenciál fantazie, z něhož vzešel celoživotní vypravěčský celek, jímž Stifter jako vypravěč dosáhl evropské úrovně. V románu *Vítek* coby českém „národním eposu" psaném v duchu nadnárodního zemského patriotismu dospěl tento sublimační proces ke svému završení.

MILAN TVRDÍK

Přehledová studie o Adalbertu Stifterovi v pracích českoněmeckých a českých germanistů do roku 1945

Adalbert Stifter se předmětem systematického výzkumu v českých zemích stal nejprve u domácích německých germanistů, především zásluhou Augusta Sauera, vydavatele kompletního Stifterova díla, a jeho žáků, kteří záslužnou edici, doprovázenou četnými vědeckými publikacemi a statěmi, dovedli po jeho smrti ke zdárnému konci. Česká germanistika, jejíž priority spočívaly zpočátku v germanisticko-bohemistickém výzkumu, se Stifterem systematičtěji začala zabývat až s nástupem tzv. duchovědné metody, hlavně však po otevření diskuse o literárním biedermeieru, která českou vědeckou veřejnost zasáhla ve třicátých letech: Pavlem Eisnerem počínaje, který Stiftera vysoce oceňoval pro jeho nacionálně nezaujatý postoj k vlasti, přes obecněji zaměřeného Vojtěcha Jiráta, zabývajícího se biedermeierem ve vztahu k mnohým rakouským a českých autorům, až po Stanislava Sahánka, který ve své monografii o biedermeieru v německém písemnictví vyzdvihl Adalberta Stiftera jako jeho největšího představitele.

JIŘÍ MUNZAR

K překladům děl Adalberta Stiftera do češtiny, zejména k těm nejnovějším

Předkládaný příspěvek je zaměřen na recepci Stifterova díla v českém kontextu, a to zejména na překlady. Po krátkém úvodu, v němž je zdůvodňováno, proč se první české knižní překlady objevují poměrně pozdě, až po roce 1900, následuje periodizace a charakteristiky přístupu ke Stifterovu dílu v jednotlivých obdobích (1900-1930, 1930-1948, 1948-1990, 1990-2005) při čemž je značná pozornost věnována konkrétním překladatelům a vydavatelům. Z největší části se jednalo o literáty a nakladatele jednoznačně katolické orientace. Podrobněji pak jsou analyzovány současné překlady Hanuše Karlacha, které jsou srovnávány s bezprostředně předcházejícími. Součástí textu je i bibliografie překladů Stifterových děl do češtiny.

HANA ŠMAHELOVÁ

Adalbert Stifter a problém mimoběžnosti v literárních dějinách

Úvaha o fenoménu mimoběžnosti v dějinách literatury vychází z interpretace postojů k Stifterovu dílu, a to jak v Čechách, tak i v jazykově německém prostředí druhé poloviny 19. století. Stifterovo přesvědčení o možnosti harmonického bratrského soužití dvou národností mělo problematický ohlas u Němců a velmi slabou odezvu v českém prostředí. S nacionálním antagonismem na obou stranách se tyto Stifterovy představy, vyjádřené zejména v historickém románu Vítek, míjely podobně jako nadčasová a harmonizující vize Bernarda Bolzana s českým obrozenským hnutím na počátku 19. století. Vysvětlení obdobných rysů v postavení A. Stiftera i B. Bolzana lze hledat v obecné rovině, kde se jeví jako nesoulad specifického komunikačního modelu s dobovým diskursem: v díle a názorech obou těchto osobností dominuje ve vztahu k národnostní problematice nekonfliktnost a jednání v duchu nadřazeného a univerzálně platného mravního zákona; tuto tendenci vyjadřují akcenty kladené na akty dorozumění, na harmonii ve vztazích a na vyrovnávání protikladů. Pro tento model, který byl vlastní jak Stifterovi, tak Bolzanovi, je také příznačné, že přítomnost je v něm reflektována v nadčasové perspektivě. Již tím se zásadně liší od druhého – a ve společenské komunikaci převažujícího - modelu, který postihuje momentální, časové zájmy a mimo jiné vyjadřuje také snahu ovládat a získat převahu nad tím či oním protivníkem. Na jedné straně není divu, že se pozornost historiků soustřeďuje především k tomuto dynamickému a na protikladech postaveném modelu, který postihuje konkrétní společenské zájmy a předjímá proměnu skutečnosti podle představ strany, jež v daném konfliktu zvítězí. Ve srovnání s tím se mimoběžnost, nečasovost, až utopičnost, kterou produkuje první model, jeví většinou jako cosi okrajového, anomálního. I když dějiny české literatury přisoudily jak Bolzanovi, tak Stifterovi právě tuto pozici, jejich nadčasový model v duchu ideje humanity nelze považovat za slepou uličku historického vývoje. Naopak, zůstává stejně závažnou historickou skutečností jako názory a události, které ho v rámci určitého dobového diskurzu pouze zatlačily do pozadí. Bez reflexe těchto jevů zůstává naše interpretace dějin vždy neúplná a jednostranná.

ROMAN PRAHL

Adalbert Stifter – malíř z „české" perspektivy

Adalbert Stifter malíř je v poslední době všestranně diskutovaným tématem. Příspěvek nejprve zvažuje různé možnosti využití topograficky českých (zvl. šumavských) souvislostí pro výklad jeho malířské tvorby. Dále se zabývá vztahem Stiftera k pražskému malíři Augustu Piepenhagenovi a k jeho tvorbě.

ALFRED DOPPLER

Nejvyšší mravní zákon jako základní zákon lidského soužití.
Byl Adalbert Stifter bolzanistou?

Stifterovské bádání věnovalo doposud příliš málo pozornosti faktu, že ústředním pojmem v

Předmluvě k *Pestrým kamenům* není „mírný zákon", nýbrž „zákon mravní"; a tento zákon odpovídá tomu, co Bernard Bolzano pojmenoval „nejvyšším či obecným mravním zákonem". Stifterova blízkost k Bolzanovi se však neprojevuje jen v částečném převzetí Bolzanových náboženských, filozofických a pedagogických názorů: Stifter působil na pozvání R. Exnera ve vídeňském bolzanovském kruhu (hrabě Leo Thun, Richard Exner, Anton Krumbholz aj.), který se významnou měrou podílel na reformě rakouského vyučování v letech 1848-1852, a publicisticky tyto reformní snahy podporoval, zejména sérií článků o škole, výuce a výchově v periodiku *Wiener Bote* (1848/49) a zprávou publikovanou v příloze *Augsburger Allgemeine Zeitung*. Bolzanův životní styl se stal koneckonců jednou z předloh pro Stifterovu postavu faráře v povídce *Vápenec*. Celkové srovnání A. Stiftera s myšlenkovým světem B. Bolzana a bolzanovského kruhu ukazuje, že autor je úzce spojen s rakouskou filozofickou tradicí pozdního osvícenství.

ABSCHIED VON WIRKLICHEM HOFRAT DR. HANS WOPELKA, BEGRÜNDER UND LEITER DER KULTURABTEILUNG VON 1945 BIS 1973

MAG. MANFRED MOHR, LANDESKULTURDIREKTOR I.R.

Als W. Hofrat Dr.Hans Wopelka am 8. Februar 2007 in seinem Alterswohnort Salzburg 93 jährig starb, musste das Land Oberösterreich in großer Dankbarkeit und mit Respekt Abschied von einer Persönlichkeit nehmen, die 1945 bereits in der ersten Stunde nach dem Ende politischer Willkür und eines schrecklichen Krieges begonnen hat, mit innerer Überzeugung und Vertrauen auf die Fürsorge Gottes die Weichen für einen Neubeginn zu stellen. Überall herrschte Not und Unsicherheit bezüglich der Zukunft, im Materiellen ebenso wie im Geistig-Seelischen. Der Wille, alle geistigen und kulturellen Kräfte zu mobilisieren war vorhanden, für Visionen und Utopien gab es weder Grund noch Anlass, schon gar nicht die Strukturen und Ressourcen. So sollte für die Installierung der späteren Kulturinstanz, noch ganz im Sinne der amerikanischen Besatzungsmacht, die im Juli 1945 eingerichtete „Zivile Zensurstelle" den Ansatz bilden, deren Aufgabe in der Überwachung des Pressewesens und der Genehmigung von öffentlichen Veranstaltungen lag. Dieser Dienststelle wurde der eben aus der Gefangenschaft heimgekommene junge Germanist und Historiker Dr. Hans Wopelka als Sachbearbeiter für Presse und Rundfunk zugeteilt, der im Frühjahr 1946 de facto die gesamte Tagesarbeit übernahm. Es lag sicherlich an seiner humanistischen Grundhaltung, dass diese „Zensurstelle" nicht die Kulturschaffenden einschränken, sondern als Filter unter den Besatzungsmächten mehr ermöglichen als verhindern sollte. Gemeinsam mit Landeshauptmann Dr. Heinrich Gleissner ist es gelungen in einer damals unübersichtlichen politischen Lage die Kultur aus dem Parteienstreit herauszuhalten. Dr. Wopelkas allererste Aufgabe war es, die seit 21. Februar 1947 offiziell bestehende Kulturabteilung, mit deren Leitung er betraut worden war, als Organisationseinheit des Amtes der OÖ. Landesregierung überhaupt einmal aufzubauen. Das Kulturbudget musste buchstäblich aus dem Nichts erstellt werden. Seine persönlichen Interessen galten der Förderung des musikalischen Lebens und dem Theater. So setzte er bereits 1953 im Einvernehmen mit der Stadt Linz eine wichtige Zäsur, als das Theater zu einem Unternehmen des Landes wurde, nachdem die bis dahin private Theaterleitung nicht den gewünschten wirtschaftlichen Erfolg gebracht hatte.

Was Dr. Wopelka auszeichnete, war die Fähigkeit auf den verschiedenen Ebenen der Kultur Notwendigkeiten und Möglichkeiten von Initiativen zu setzen. Es war vorerst ein kleines Team von aus dem Krieg heimgekehrten Wissenschaftern, 1947 Dr. Aldemar Schiffkorn, 1949 Dr. Otto Wutzel und zuletzt Dr. Karl Pömer - bereits im Büro des Landeshauptmannes tätig - das, je nach fachlichem Schwerpunkt die entsprechenden Fördersparten mit großen Gestaltungsfreiheiten entwickeln konnte. Es war die Ära Gleissner-Wopelka, in der fast alle institutionellen Fundamente gelegt wurden, tragende Elemente unserer heutigen zeitgemäßen, modernen Kulturförderung. So entwickelte sich das „StifterHaus" zu einem beispielhaften „Zentrum für Literatur und Sprache", ein Germanistisches Institut des Landes Oberösterreich mit weltweit wissenschaftlichen Kontakten; eine unverzichtbare Begegnungsstätte mit dem zeitgenössischen Schaffen. Es entstand damals vor dem Hintergrund einer fehlenden Universität mit geisteswissenschaftlicher Ausrichtung, die auch unter dem Aspekt der in der Nachkriegszeit so wesentlichen Volksbildung gegründet wurde. Dr. Wopelka erkannte bereits damals die Notwendigkeit und Chance, derartige wissenschaftliche Einrichtungen nicht im Rahmen der Hoheitsverwaltung zu betreiben, so dass 1955 nicht nur das Brucknerkonservatorium, das Landesmuseum und das Landesarchiv, sondern auch diese damals noch kleine Zelle der Stifterforschung als selbständiges Institut mit einem eigenen Statut aus der bürokratischen Verwaltung herausgelöst wurde. Damit wurden auch die Grundsteine für die heutige Privatuniversität für Musik und Tanz oder die OÖ. Landesbibliothek (ehemals der Zentralkatalog wissenschaftlicher Bibliotheken) gelegt.

Dr. Wopelkas Loyalität galt sowohl der Politik wie der Administration und den eigenen Mitarbeitern. Sie fand ihre Wurzeln in der leidvollen Erfahrung der Zwischenkriegszeit, der Diktatur und des Erlebens des 2. Weltkriegs. So baute und verteidigte er Brücken zu politisch anders Denkenden, auch zwischen den verschiedenen Gebietskörperschaften. Als Anerkennung all dieser Leistungen wurden ihm das „Goldene Ehrenzeichen der Republik Österreich" und das „Große Ehrenzeichen für die Verdienste um die Republik Österreich", das „Goldene Verdienstzeichen des Landes Oberösterreich" und die „Kulturmedaille des Landes Oberösterreich" verliehen.

Als Dr. Wopelka 1973 in Pension ging, zeichnete sich bereits ein anderes, ein neues Kulturbild ab. Demokratisierung, Kulturgesetz, Kulturbeirat, Animation und Kulturvermittlung waren die neuen Schlagworte. Dies entsprach nicht mehr unbedingt seinem Kulturverständnis und dennoch, auch nach seiner Übersiedlung nach Salzburg, ließ ihn das Interesse am Kulturgeschehen in seinem Oberösterreich nicht los. Oft reagierte er telefonisch auf Medienberichte oder informierte sich persönlich anlässlich seiner Besuche in Linz.

Für mich begann damals eine Zeit, in der das Bild eines geachteten und geschätzten Chefs überlagert wurde von dem eines Vorbilds, dessen humanistisches Gedankengut die Sicherheit und Fähigkeit der richtigen Entscheidung und des menschlichen Handelns immer verliehen hat.

DAS DASEIN ENDET; DIE LEGENDE BEGINNT
Zum Tod von Karl Pömer

DR. PAUL STEPANEK

Am Morgen des Ostersonntags, des 8. April 2007, verstarb W. Hofrat Dr. Karl Pömer, Leiter der Kulturabteilung des Amtes der OÖ. Landesregierung von 1973 bis 1987; im 83. Lebensjahr.

Mit ihm hat uns eine Persönlichkeit verlassen, die in ihren vielen, oft gegensätzlichen Facetten immer schon Zeugnis abgelegt und Beispiel gegeben hat: für Überzeugung, Haltung, Glaubwürdigkeit, Menschlichkeit, Charakterstärke und ein vom Christentum geprägtes Menschenbild. Wollte man aus den vielen positiven Eigenschaften Karl Pömers eine beispielhaft herausgreifen, die sein ganzes Berufsleben begleitet hat, so war es die eines unermüdlichen Kulturvermittlers. Rhetorisch bestens ausgestattet, brachte er es im Umgang mit seinem Arbeitsteam in der Landesregierung ebenso wie in der größeren Öffentlichkeit zu einer Meisterschaft in der Kunst des Motivierens und Animierens. Er verstand einerseits, klare Ziele zu formulieren und andererseits, Menschen zu bewegen und zu begeistern. Aufbauend auf einem festen Weltbild war ihm Toleranz im Allgemeinen wie im Besonderen eines sich stetig erweiternden Kulturbegriffs kein Fremdwort: sein wichtigstes Ziel als Faktor einer effizienten Kulturpolitik war, Kultur als umfassenden Wert für alle Schichten der Gesellschaft nicht nur darzustellen, sondern erlebbar und erstrebenswert zu machen. Ausgehend von einem „klassischen", sozusagen alle Künste umfassenden Kulturbegriffs, war es ihm ein besonderes Anliegen, elitäre Grenzen im Kreativen wie im Rezeptiven aufzulockern und verschiedene Wege zur Kultur aufzuzeigen und begehbar zu machen. Gerade in seiner Ära wurde es, nicht zuletzt durch gezielte Förderung von Seiten des aufgeschlossenen Kulturpolitikers Dr. Josef Ratzenböck, möglich, zahlreiche Ideen und Aktionen der Kulturvermittlung zu erfinden bzw. umzusetzen: Kulturwochen in den Gemeinden, Autoren in die Schulen, Kunst in die Schulen, Schule und Museum, Kultur in die Betriebe, Publikationen zur Kulturarbeit in Gemeinden und Betrieben, um nur einige zu nennen.

So pendelte das weitgesteckte berufliche Feld des Karl Pömer stets zwischen stabilisierenden und erneuernden Elementen. Er sah die Aufgabe, bewährte Leitbilder des OÖ. Kulturlebens wie Theater und Orchester zu positionieren ebenso wie neue Dimensionen der Breitenwirkung wie etwa in Form des Landesmusikschulwerks, der Landesausstellungen und Kulturanimation systematisch zu erschließen. Knapp vor seiner Pensionierung fasste er seinen reichen Erfahrungsschatz nochmals in den inhaltlichen Perspektiven des OÖ. Kulturförderungsgesetzes zusammen, das der Kulturarbeit bis heute eine feste Basis gibt. Dem ausgebildeten Germanisten war am Zenith seines Berufslebens die Bildende Kunst ein besonderes Anliegen: Er fungierte landesweit als gesuchter Redner in zahllosen Ausstellungseröffnungen und profilierte sich durch die Herausgabe des dreibändigen Werkes „Kunst in Oberösterreich".

Auch die historisch-wissenschaftliche Komponente seiner Ausbildung wusste er effizient einzusetzen, z. B. in dem Opus Magnum einer dreibändigen Geschichte von Stift und Markt Engelhartszell. Das langjährige Mitglied des Adalbert-Stifter-Institutes brachte in das Arbeitsfeld des Institutes viel Themenaffinität und Kompetenz ein: schließlich hatte das Thema der Dissertation Karl Pömers „Adalbert Stifter und Franz Stelzhamer" gelautet. Pömers Zuwendung an die ideelle Heimat der Stifterforschung war freilich stets klar auf die wissenschaftliche Komponente der Aufgaben des Stifter-Institutes konzentriert und weniger auf die bereits zu seiner Zeit spürbaren Ambitionen des Hauses, sich auch für die im wörtlichen Sinne lebendige Literatur in Wort, Schrift und Tat zu engagieren. Da mag wohl das ausgeprägte Kompetenzdenken des Leiters einer Kulturabteilung, zu deren Programm auch die Literaturförderung zählt, eine Rolle gespielt haben. Dies hinderte ihn und seine Mitarbeiter freilich nicht, dem Adalbert-Stifter-Institut jederzeit hilfreich – vor allem mit finanziellen Mitteln – beizustehen, sobald es seine Kernaufgaben durch öffentlichkeitswirksame Veranstaltungen zu prononcieren beabsichtigte. Karl Pömers germanistischer Publikationstätigkeit waren während seiner aktiven Laufbahn die Grenzen des Vielbeschäftigten gesetzt. Erst das Stelzhamerjahr 2002 forderte ihn nochmals zu einer Höchstleistung heraus: der langjährige Obmann des Stelzhamerbundes mobilisierte alle Kräfte des Alters und setzte einem Kernthema seines germanistischen Lebens in Form einer großen Biographie Franz Stelzhamers ein würdiges und viel beachtetes Denkmal.

Karl Pömers Persönlichkeit vereinte, wie gesagt, viele Gegensätze in sich: Der diplomatische Verhandler konnte als Arbeiter zupacken; der Streitbare demonstrierte Dominanz und eine feste Hand ebenso wie der optimistische Herzensmensch seine „Schäfchen" beschützen wollte. Eben noch strenger Patriarch und „Auseinandersetzer", war er plötzlich als begeisterter Sänger, Schauspieler, und „Lachwurzn" zu erleben.
So prägte Karl Pömer gemeinsam mit Josef Ratzenböck die Landeskulturarbeit der 70er und 80er Jahre als Baumeister eines neuen Kulturverständnisses. Im Ruhestand stellte er als Obmann des Stelzhamerbundes und Vizepräsident des Forums Volkskultur eine Gallionsfigur der Volkskultur ebenso dar wie er ehrenvolle Funktionen für das Musikleben (OÖ. Stiftskonzerte, Musica Sacra) wahrzunehmen wusste. Er hat seine Tage in absoluter Zurückgezogenheit beschlossen. Seinen Mitarbeitern ebenso wie der großen Kulturgemeinde Oberösterreichs wird er dennoch als charakteristische Führungskraft wie effizienter Gestalter legendenhaft in bester Erinnerung bleiben.

PETER BECHER, geboren 1952 in München, Studium der Germanistik und Geschichte, Promotion 1981 mit einer Arbeit über das Ende der Donaumonarchie. Tätigkeit in der Jugendarbeit, beim Bayerischen Rundfunk und am Goethe-Institut. Seit 1986 Geschäftsführer des Adalbert Stifter Vereins. Mitglied des tschechischen PEN und des Beirats für das deutsch-tschechische Gesprächsforum. Letzte Publikationen: *Literatur unter dem Hakenkreuz. Böhmen und Mähren 1939-1945*. Hg.mit Ingeborg Fiala-Fürst. Prag/Furth im Wald 2005; *Adalbert Stifter. Sehnsucht nach Harmonie*. Eine Biografie. Regensburg 2005.

ALFRED DOPPLER, geboren 1921, Lehrtätigkeit an den Universitäten München und Graz, Gastprofessuren in Middlebury, Pécs und Szeged. Von 1971-1991 Professor für österreichische Literatur in Innsbruck. Herausgeber der *Historisch-Kritischen Gesamtausgabe der Werke und Briefe Adalbert Stifters*. Zahlreiche Publikationen und Aufsätze, unter anderem zu Stifter, Schiller, Hölderlin.

JOHANNES JOHN, seit 1997 wissenschaftlicher Mitarbeiter in der Kommission für Neuere deutsche Literatur der Bayerischen Akademie der Wissenschaften (München), dort Redakteur der *Historisch-Kritischen Ausgabe der Werke und Briefe Adalbert Stifters*. Lehrbeauftragter am Institut für deutsche Philologie der Universität München (seit 1987) und der Katholischen Universität Eichstätt. Zahlreiche Publikationen, u.a. Bandherausgeber der Münchner Goethe-Ausgabe (Bde. 11,2 und 17) und der Historisch-Kritischen Stifter-Ausgabe (Bde. 3,1 und 3,2).

JIŘÍ KOŘALKA, geboren 1931 in Šternberk/Sternberg (Tschechien), Studium der Geschichte an der Karlsuniversität Prag. 1955-1974 wissenschaftlicher Mitarbeiter am Historischen Institut der Akademie der Wissenschaften Prag, aus politischen Gründen entlassen, 1992/93 neu angestellt. 1975-1991 leitender Historiker am Hussiten-Museum Tábor, Redakteur des *Husitský Tábor*. Seit 1993 freischaffender Wissenschaftler. Wichtigste Publikationen: *Tschechen im Habsburgerreich und in Europa 1815-1914*; František Palacký (1798-1876).

JOHANN LACHINGER, geboren 1939 in Vöcklamarkt, nach Studium und Tätigkeit am Institut für Germanistik der Universität Wien von 1978-2004 Direktor des Adalbert-Stifter-Institutes des Landes Oberösterreich (Linz); Universitätslektor in Wien. Herausgeber diverser Publikationen zu Adalbert Stifter und oberösterreichischer Literaturgeschichte. Zahlreiche Aufsätze zur österreichischen Literatur des 19. und 20. Jahrhunderts, u. a. über Lenau, Bernhard und Stifter.

JIŘÍ MUNZAR, Studium der Germanistik, Anglistik, Nordistik und Russisch an der Karlsuniversität in Prag. Zunächst tätig an der Akademie der Wissenschaften in Prag, seit 1972 Lehrtätigkeit am Germanistikinstitut der Masaryk-Universität in Brno/Brünn, 1992-2003 Vorstand des Instituts. Professor für Geschichte der deutschen Literatur. Publikationen zu deutsch-tschechischen Literaturbeziehungen (Heinrich Böll, Marie von Ebner-Eschenbach, Max Brod), zur Anglistik und Nordistik /Graham Greene, Henrik Ibsen). Übersetzungen aus dem Deutschen (C. Brentano, J. von Eichendorff) und Englischen.

ROMAN PRAHL, geboren 1949, lehrt an der Karlsuniversität Prag Neuere Kunstgeschichte. Zwischen 1976 und 1995 war er als wissenschaftlicher Mitarbeiter in der Sammlung für böhmische Kunst des 19. Jahrhunderts in der Nationalgalerie Prag tätig.

HANA ŠMAHELOVA, Studium der Bohemistik, Literaturwissenschaft und Geschichte an der Karlsuniversität in Prag, bis 1973 Assistenzstelle am Institut für tschechische Sprache und Literatur an der damaligen Tschechoslowakischen Akademie der Wissenschaften, nach 1989

Wiederkehr in das Institut für tschechische Literatur der Akademie der Wissenschaft. Seit 1991 an der philosophischen Fakultät der Karlsuniversität Prag (Geschichte der tschechischen Literatur des 19. Jhdts., Kinder – und Jugendliteratur), Habilitation 1995 mit der Arbeit *Autor und Subjekt im Werk von B. Němcová*. EC-Studienaufenthalt an der Universität Konstanz (1993), Vorträge an der Universitäten München, Dresden, Basel; Gastprofessur an der Uni Konstanz - Institut für Slawistik (2001). Mitgliedschaft in der Deutsch-Tschechischen Dobrovský-Gesellschaft. Diverse Veröffentlichungen, zuletzt: *Die durchgebrochenen Strukturen* (Karolinum, 2002)

GERHARD TRAPP, geboren 1938 in Frankfurt am Main, Studium der Germanistik, Politologie und Philosophie an den Universitäten Frankfurt und Freiburg i.Br., 1965 Dissertation zum Werk Johannes Urzidils in Frankfurt. 3 Jahre im Höheren Schuldienst des Landes Hessen, von 1969 bis 1997 tätig am Goethe-Institut München, hier in verschiedenen Funktionen im Inland sowie in Indien, Frankreich, Norwegen und China. Zahlreiche Veröffentlichungen zu Johannes Urzidil in deutschen, österreichischen, tschechischen und italienischen Medien.

MILAN TVRDÍK, studierte Germanistik und Bohemistik an der Karlsuniversität Prag; seit 1980 wissenschaftlicher Mitarbeiter an der Tschechoslowakischen Akademie der Wissenschaften in Prag, zugleich Lehrtätigkeit an der Theaterakademie DAMU in Prag; seit 1992 Lehrtätigkeit am Institut für Germanistik, Nederlandistik und Nordistik an der Philosophischen Fakultät der Karlsuniversität Prag, seit 2000 Vorstand des Instituts für germanische Studien. Studienaufenthalte in Berlin, Köln, Konstanz, Marbach, Leipzig und Wien; Vorsitzender der Goethe-Gesellschaft in der Tschechischen Republik. Zahlreiche Publikationen v. a. zur Geschichte der deutschen und österreichischen Literatur, zur deutschen Literatur in den böhmischen Ländern und zur deutschsprachigen Literatur aus der Schweiz nach 1945.

WOLFGANG WIESMÜLLER, ao. Univ.-Prof. für Neuere deutsche Literatur am Institut für Germanistik der Universität Innsbruck. Mitarbeiter der historisch-kritischen Stifter-Ausgabe. Publikationen zur österreichischen Literatur des 19. und 20. Jahrhunderts, speziell zu Adalbert Stifter, zur Lyrik nach 1945 (C. Lavant, C, Busta, Religiöse Lyrik, Naturlyrik), zum historischen Roman sowie zur Intertextualität zwischen Bibel und Literatur.

IMPRESSUM

MEDIENINHABER:
Land Oberösterreich, StifterHaus,
Zentrum für Literatur und Sprache in Oberösterreich,
Adalbert-Stifter-Platz 1, 4020 Linz
LEITERIN: Dr. Petra-Maria Dallinger
REDAKTION: Milan Tvrdík, Wolfgang Wiesmüller
GRAFIKDESIGN: Viktoria Schlögl
DRUCK: Trauner, Linz

ISBN: 978-3-900424-64-0

Jahrbuch des Adalbert-Stifter-Institutes
des Landes Oberösterreich Band 14/2007.

BILDNACHWEIS:
S. 7/8: Adalbert Stifter: Ansicht von Oberplan. Um 1823. Regionalmuseum Český Krumlov.
S. 38/39 sowie S. 80: Adalbert Stifter: Flußenge I. (Die Teufelsmauer bei Hohenfurth.) 1845.
Oberösterreichische Landesmuseen, Linz.
S. 56: Adalbert Stifter: Die Gutwasserkapelle bei Oberplan. 1845.
Copyright Adalbert-Stifter-Gesellschaft, Wien.
S. 81: Karl Postl nach Laurenz Janscha: Teufelsmauer. 1803–1807. Privatsammlung, Prag.
S. 84: Mondlandschaft mit bewölktem Himmel. Um 1850.
Copyright Adalbert-Stifter-Gesellschaft, Wien.
S. 93/94: Die Ruine Wittinghausen. Fassung I. Um 1833–35.
Copyright Adalbert-Stifter-Gesellschaft, Wien.

KULTUR StifterHaus